ジャンル、経験を問わずすべてのギタリストのために
すばらしい模範演奏CDとタブ譜で楽しく演奏

クラシック・ギター
ラテン・アメリカン・ギター・ガイド

Mel Bay Presents

Latin American Guitar Guide

by Rico Stover

ATN, inc.

感謝のことば

私は、アメリカン・フィールド・サービス（American Field Service）の援助により交換留学生としてコスタリカに行った時、ラテン・アメリカの文化とギターに心を奪われました。若くしてラテン・アメリカを体験する機会が得られたことに感謝しています。この地域に関心を抱いた私は、その後、メキシコ、スペイン、アルゼンチン、ブラジル、パラグアイ、ウルグアイ、エルサルバドル、そしてベネズエラを訪れました。私はこれからも、ラテン・アメリカをくまなく旅し、その文化と人びとの不思議、神秘、喜びを体験するつもりです。

私の人生において、私は心から感謝したい数え切れないほど多くの人びとと出会いました。その中には、常に私をサポートし続けてくれた家族*Lois*、*Rebecca*、*David*もいます。そして、高校のスペイン語の先生であった*Argero Fenton*に感謝します。彼女は週１回、ギターを弾きながら、メキシコとラテン・アメリカの歌を私たちに教えてくれました。彼女こそ、私にとって新しい世界を広げてくれた人です。私にクラシック・ギターを紹介してくれたコスタリカの*Juan de Dios Trejos*、私にギターの世界を教えてくれた、私の最初の真剣なギターの先生であるアコ・イトウに感謝します。そして、きれいに演奏する方法を教えてくれた*José Rey de la Torre*（1917～1994）に、そして、ゆっくり練習することの大切さ、それ以外にも多くのことを教えてくれた*Manuel Lopez Ramos*に感謝します。そして、私がこの仕事に取り組むことを応援してくれた*Leo Brouwer*にも感謝します。

私はまた、*Eduardo Falú*、*Alirio Diaz*、*Jorge Morel*、*Carlos Barbosa-Lima*、*Luís Bonfa*、*Laurindo Almeida*、*Sila Godoy*、*Jorge Cardoso*、*Javier Echecopar*、*Raul Garcia Zárate*、*Jorge Fresno*、*Andrés Faz*、*Richard Prenkert*、*Ron Purcell*、*Roger Emanuels*、*Dr. David Sweet*、*Guy*と*Lucy Horn*、*Carlos Payés*、*Dr. Rodrigo Brito*、*Raimundo Barrera*、*Jorge Labanca*、*Victor Villadongos*、*Agustín*と*Abel Carlevaro*、*John Williams*、*Howard Heitmeyer*、*Jesse Pessoa*、*Juan DiLorenzo*、*Roberto Herrera*、*Patricia Dixon*、*Luís Zumbado*、*Eduardo Acosta*、*Julio Andrade*、そして*Luís Zea*にも感謝の意を表します。さらに、名前を思い出すことができないほどの、その他のたくさんの方がたに感謝します。

本書を実現するために、楽譜を書くプログラムSpeedscoreを創ってくれた*Frederick Noad*に深い感謝の意を表します。

そして、ブラジル、サンパウロの*Ronoel Simoes*に特別な感謝の意を表します。彼は何年もの間、自分が持つ非常に貴重な情報やギターのレコードを、惜しむことなく私に提供してくれました。

本書ラテン・アメリカ・ギター・ガイドは、ラテン・アメリカのもっとも偉大なギタリストで作曲家である*Atahualpa Yupanqui*（1907～1992）と*Antonio Lauro*（1917～1986）の２人に捧げます。

Rico Stover

もくじ

ページ　CDトラック No.

ラテン・アメリカ・ギター

ラテン・アメリカという包括的な表現は、メキシコから中央アメリカ、カリブ諸国、南アメリカ全体を含む、広大な地理的範囲におよぶ20以上もの国々を指しています。これはまさに、もう１つ別の世界です。ラテン・アメリカは、独特な衣服のまとい方、おいしい料理、様式化されたスペイン語とポルトガル語の使い方、非常に深く考えられた詩と文学、そしてもちろん音楽など、多くの独自の文化を築き上げてきました。

ラテン・アメリカはギターにとって、非常に特別な場所です。何世紀もかけて、イベリア半島から新しい植民地にもたらされたビウエラとギターラが新天地を見つけ、間もなく新たなアイデンティティを獲得しました。ラテン・アメリカン・ギターのスタイルは、19世紀後半に完全に台頭し、そして20世紀に開花しました。それはギターの世界にとって力強く、もっとも歓迎される貢献でした。

ラテン・アメリカンという言葉のあいまいさは、その実態を理解する場合に、さまざまな意味において障害になっています。コード・ストラム、タップ、スペイン語の歌詞という印象で片づけられてしまいがちですが、実際はそれほど単純なものではありません。ラテン・アメリカの中でも、地域ごとにたくさんの種類の音楽が存在しています。それらのスタイルに関して、ギタリストがより洗練された理解を形成するためには、非常に多くの時間と労力を費やす必要があります。ギターに関して、ラテン・アメリカという音楽の宝庫は、６つの地域に分類されます。

1）南アメリカ南部
　　アルゼンチン、チリ、ウルグアイ、パラグアイ、ブラジル南部

2）アンデス
　　ペルー、ボリビア、エクアドル、コロンビアの一部の地域、アルゼンチンとチリ

3）ベネズエラ、コロンビアの一部の地域

4）キューバとカリビアン

5）ブラジル

6）メキシコと中央アメリカ

本巻は、アルゼンチン、ブラジル、コスタリカ、パラグアイ、ベネズエラのポピュラー・ソングとダンス音楽の中から選んだ曲に基づいて、私が作曲した作品を取り上げています。これらの学習はすべてEメジャーまたはEマイナー・キーのトーナリティ（調性）で、本質的にトニック（I）、サブドミナント（IV）、ドミナント（V）という基本的なコード進行で構成されています。付属のCDでは、私は楽譜に書かれているとおりの演奏が収録されていますが、いくつかの適切と思われる曲では、少し即興的な演奏をしています。

本書で使われるカタカナ表記と原語表記について

日本語版の出版にあたり、本書では、すでに一般的になっている人名、地名などはカタカナ表記にしましたが、正確な発音によるカタカナ表記が困難な場合は、原語のままにしてあります。

基本概念（コンセプト）

ラテン・アメリカ音楽のもっとも重要な特徴は、２拍子に対する３拍子のリズミック・フィール（リズム感覚）です。４分の３（3/4）拍子と８分の６（6/8）拍子が頻繁に同時に演奏されて、*複合拍子を創り出します。

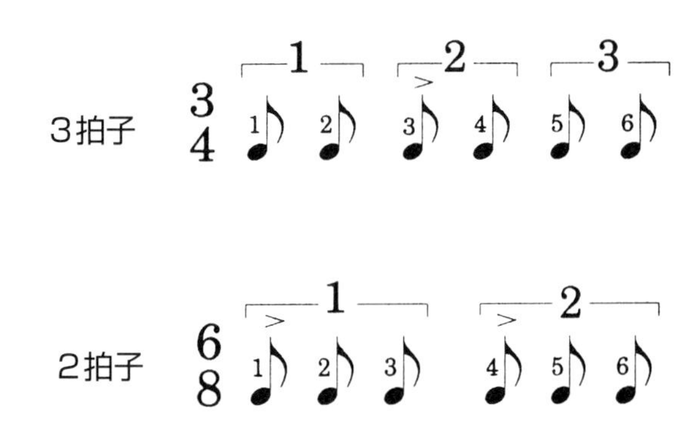

ラテン・ミュージシャンはこれを６拍として感じ、さまざまな方法でアクセントがつけられます。秘訣は、パルスの基本単位が８分音符であることです。アクセントはしばしば、３つめの８分音符（第２拍め）と４つめの８分音符（２拍め裏のアンド）につけられます。これは、ラテン・アメリカ的なシンプルな3/4拍子の感じ方を示した２小節です。

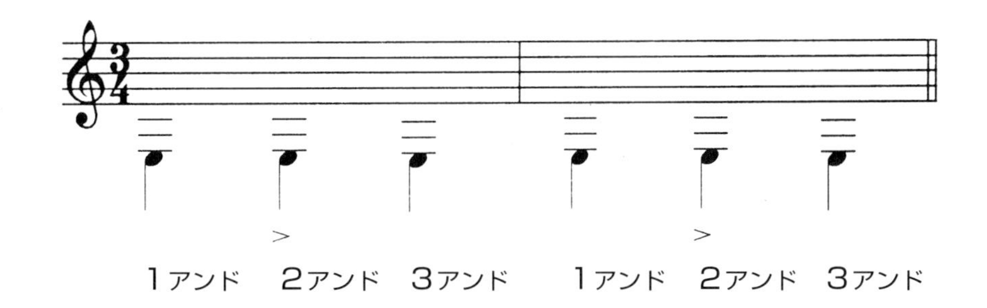

同様に、これはラテン・アメリカ的な２拍子の感じ方を示した２小節です。

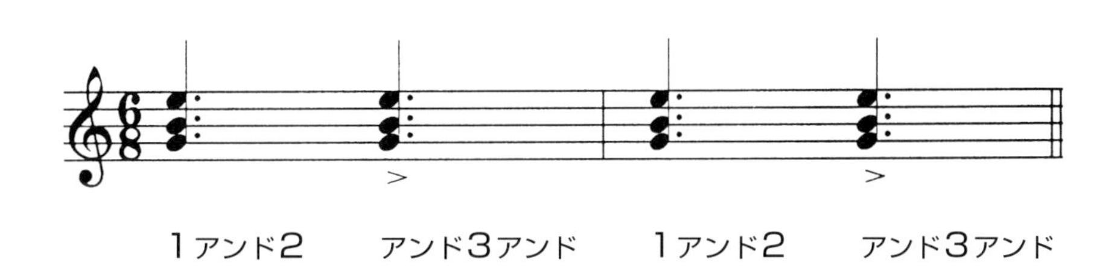

*compound time signature：2/4拍子、2/2拍子、3/4拍子、3/8拍子、4/4拍子など、拍子の単位となる各拍が２分割される拍子を単純拍子というが、この中の同種の単純拍子が複合されて構成される拍子のこと。拍子の単位となる各拍が３分割される拍子で、例えば、6/8拍子、9/8拍子、12/8拍子など。

次は、両方の拍子を同時に演奏しています。

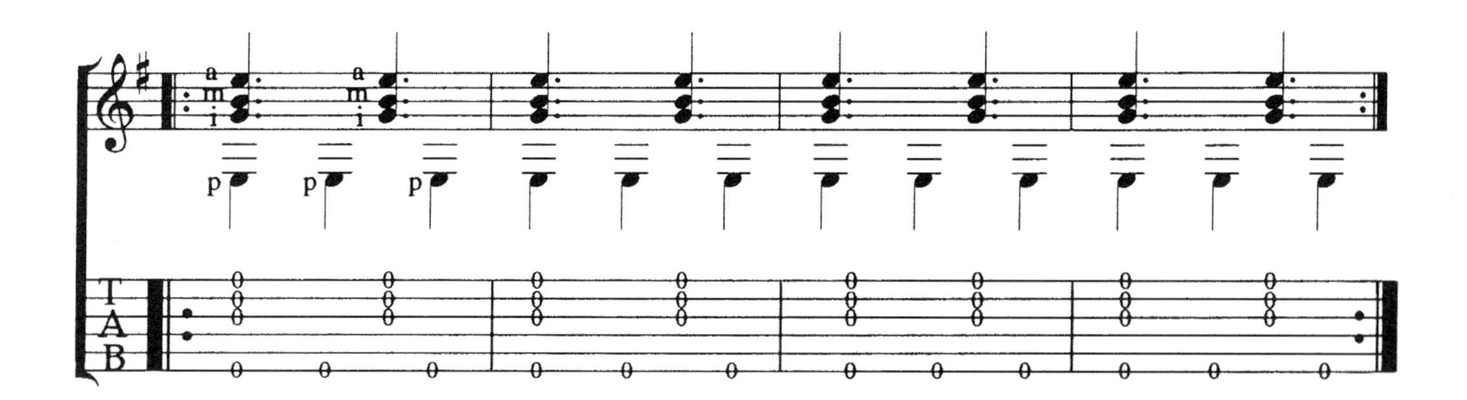

ベース・ラインに動きをもたせると、さらにおもしろくなります。

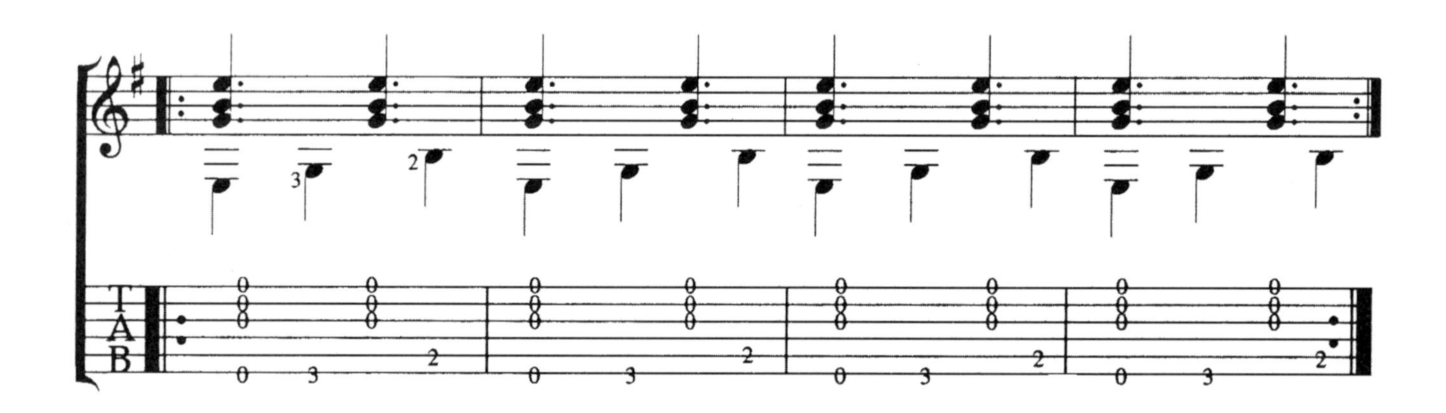

上の２つの譜例が習得できたら、次のヘミオランド(Hemiolando)を演奏してみましょう。

ヘミオランド
Hemiolando

D.C.

このリズムのもう１つのヴァリエーションは、私がサウス･アメリカン･フィンガー･ピッキングと呼んでいるものです。３拍子と２拍子がいかに共存し、独特な*テクスチュアをどのように生み出すかをはっきりと表しています。

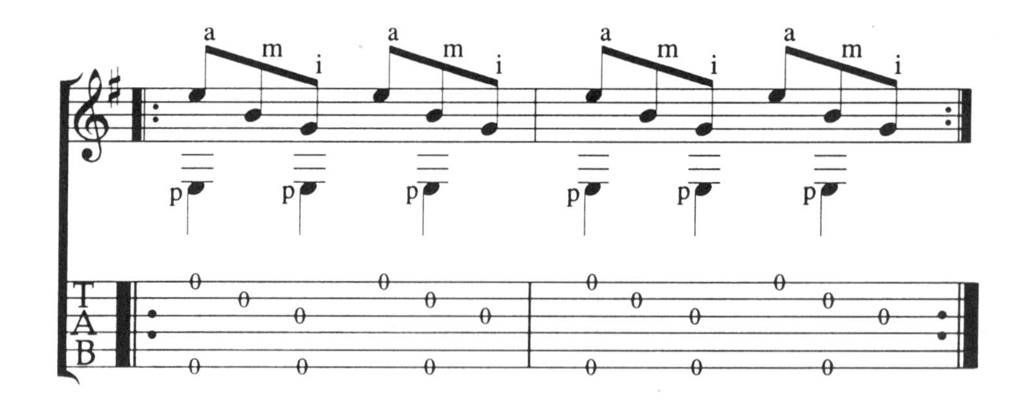

ベース･ラインに動きを加えることで、非常におもしろい何かが生まれるかもしれません。

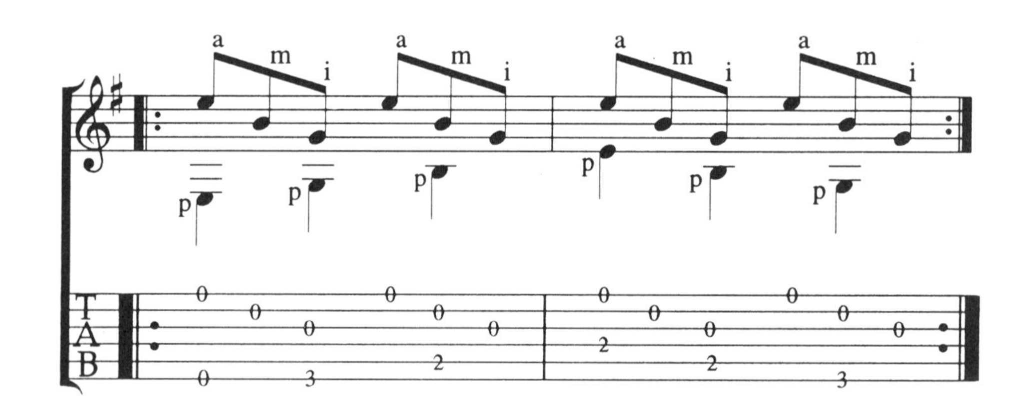

それでは、この基本練習を始めましょう。

* texture: ある曲の音(リズム、ハーモニー、メロディー)の基本的な組み合わせ方。音の触感。

南米のフィンガーピッキング
South American Fingerpicking

ラスゲアード

ギターが生み出す特有の効果の１つが、*ラスゲアード（または*ストラム）です。ラテン・アメリカの音楽をより正確に解釈するために、ギタリストはラスゲアードの仕組みを理解する必要があります。これは本来、フォーク（フラメンコ・ギターなど）のテクニックですが、ラテン・アメリカン・ギターにおけるストラムは、これまでに洗練されたレベルに発展してきました。これらのストラムの多くは、楽譜で表すことが非常に困難です。その上、ストラムでは、弦を弾く（プンテアドと呼ばれます）時にはほとんど使わない手と前腕の筋肉を使うことが必要になります。

基本的な構成要素

右手のラスゲアード・テクニックは、３つの基本的なコンセプトに分けることができます。

I. どの指でストラムするのか？

II. どちらの方向（アップまたはダウン）にストラムするのか？

III. 弦のどの部分（低音のみ、または高音のみ、またはその組み合わせ）をストラムするのか？

I.と**II.**に関して、以下の９つの基本的動作が含まれています。

1. １本の指（i、m、a、またはp）によるダウン・ストラム
2. １本の指（i、m、a、またはp）によるアップ・ストラム
3. さまざまな連続する指（ñ-a-m-i、a-m-i、a-m、m-i）を使ったダウン・ストラム
4. さまざまな連続する指（ñ-a-m-i、a-m-i、a-m、m-i）を使ったアップ・ストラム
5. 連続する指（ñ-a-m-iとñ-a-m-i-p）を使った*スタッガードによるダウン・ストラム
6. 連続する指（ñ-a-m-i）を使ったスタッガードによるアップ・ストラム
7. 継続的なロール：ñ-a-m-iでアップした後、ダウン・ストラム
8. 手のひらによるダンプ（音を止める）
9. 握った手によるダンプ（音を止める）

（注：ñは小指を表す）

*rasgueado：コードを右手でかき鳴らすギター奏法の一種。各指を同時に、または小指から順にうち下ろすなどの方法がある。フラメンコ・ギターでの典型的な奏法。

*strum：かき鳴らすの意。ラスゲアードと同義。弦を上または下の方向ににはくように弾く。

*staggered：時差的な、の意。各指を少しずつずらした奏法のこと。

ラスゲアード・テクニックの基本要素

前述のように、ラテン・アメリカンのストラムには９つの基本要素があります。

1. １本の指（人差し指、中指、小指、または親指）によるダウン・ストラム

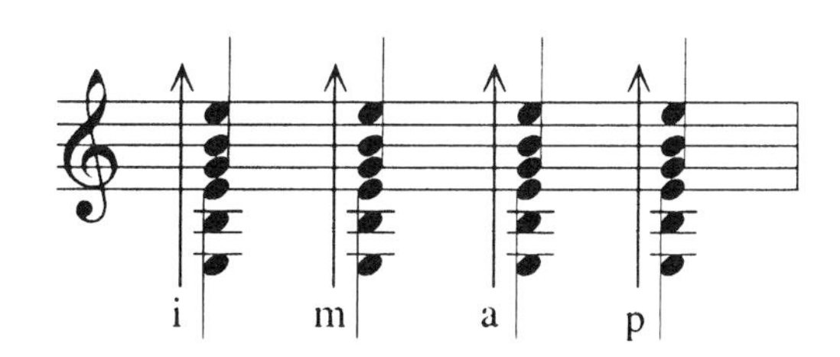

2. １本の指（人差し指、中指、小指、または親指）によるアップ・ストラム

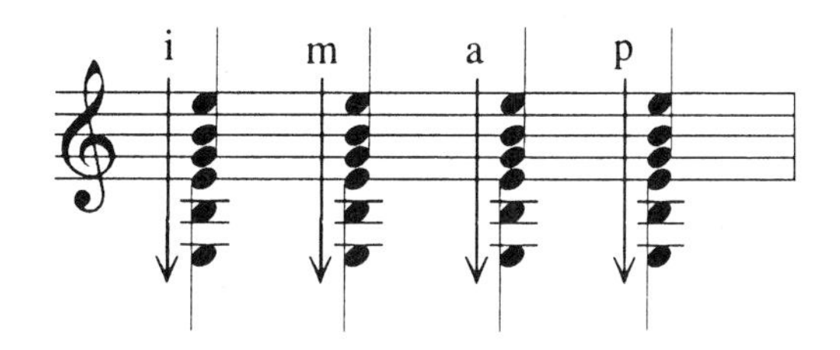

3. さまざまな指の組み合わせ（ñ-a-m-i、a-m-i、a-mまたはm-i）によるダウン・ストラム

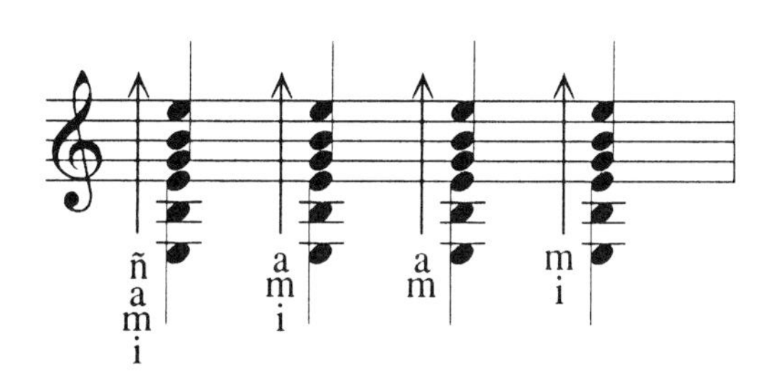

4. さまざま指の組み合わせ（ñ-a-m-i、a-m-i、m-aまたはi-mで）によるアップ・ストラム

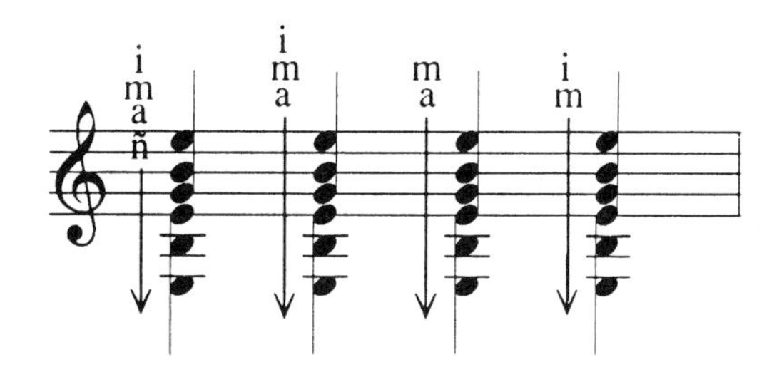

5. ñ-a-m-i と ñ-a-m-i-p によるスタッガード･ダウン･ストラム

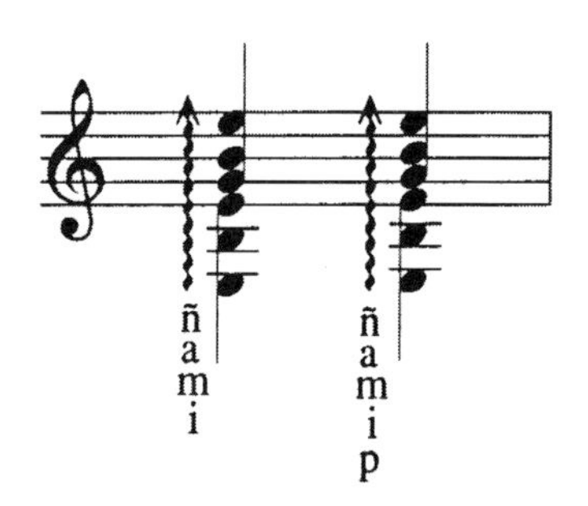

6. さまざま指の組み合わせによるスタッガード･アップ･ストラム

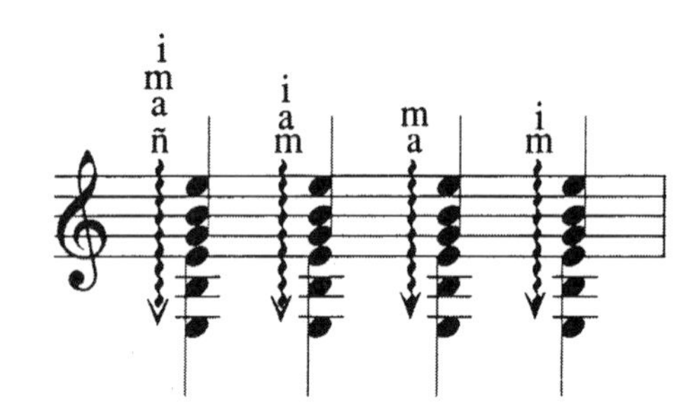

7. ñ-a-m-iによる継続的なスタッガード･ダウン･ストラムのロール

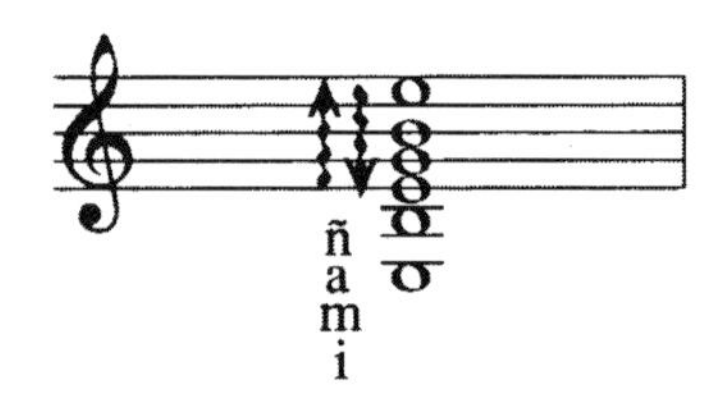

8. 手のひらによるダンプ

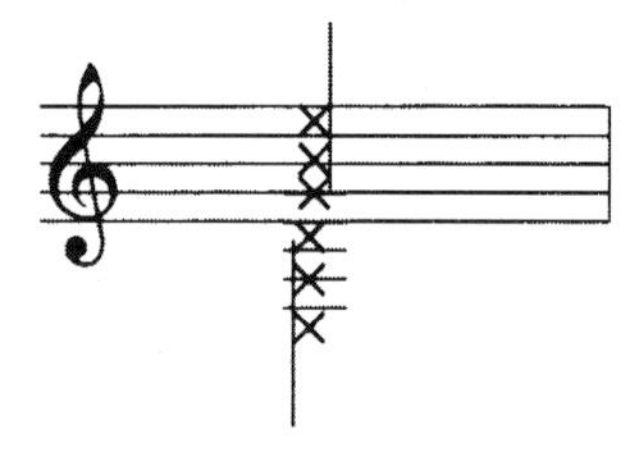

9. こぶしによるダンプ

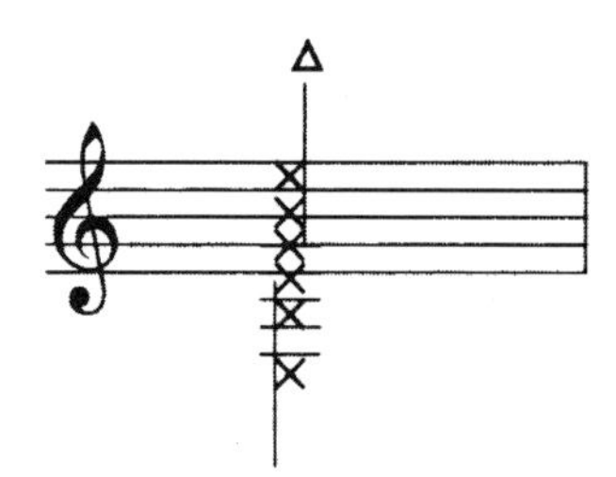

これらすべての基本動作を毎日練習しましょう。各ストロークは正確かつ素早く行います。１つの指だけを使う時、残りの指は動かさずに固定しておきます。もっとも難しいテクニックが、7.の継続的なロールです。これはエンディングのドラム・ロールに似たものであり、アクセントは使いません。n-a-m-iによるノン・ストップのダウンとアップ・ストラムを、各指を独立して動かしながら行うことが必要です。

例８と例９に示したように、ダンプには２種類の方法があります。１つは手のひらを、もう１つは軽く握ったこぶしを使う方法です。鳴らしたコードを突然短く切るため、ダンプされたコードは素早く、短く、*パーカッシヴなサウンドになります。しかし、コード自体の各音の響きは切れますが、各ダンプはそれぞれ独特のサウンドをもっています。手のひらによるダンプは、指が弦を打つことで生まれる、ある種大きな音のかたまりのようなサウンド（これは特定の*ピッチはもっていない）になります。こぶしによるダンプは、金属のフレットに弦が接触して生じる「カチャ」というサウンドを創ります。こぶしによるダンプは、ある程度の強さをもって行うと、指の関節がフレットボードの木を打ち、もう１つのサウンドを創ることができます。これらのダンプは、一般的にどちらも第12ポジションから第19ポジションのフィンガーボードの高い部分で行います。また、サウンドホールの上でも行うこともできます。

以下は、ラスゲアードの演奏テクニックを発展させる26の練習です。これらを最小限でも継続的に練習することが、上達の鍵になります。

ラスゲアードの練習　グループ１：高音弦上で１本の指によるダウン・ストローク

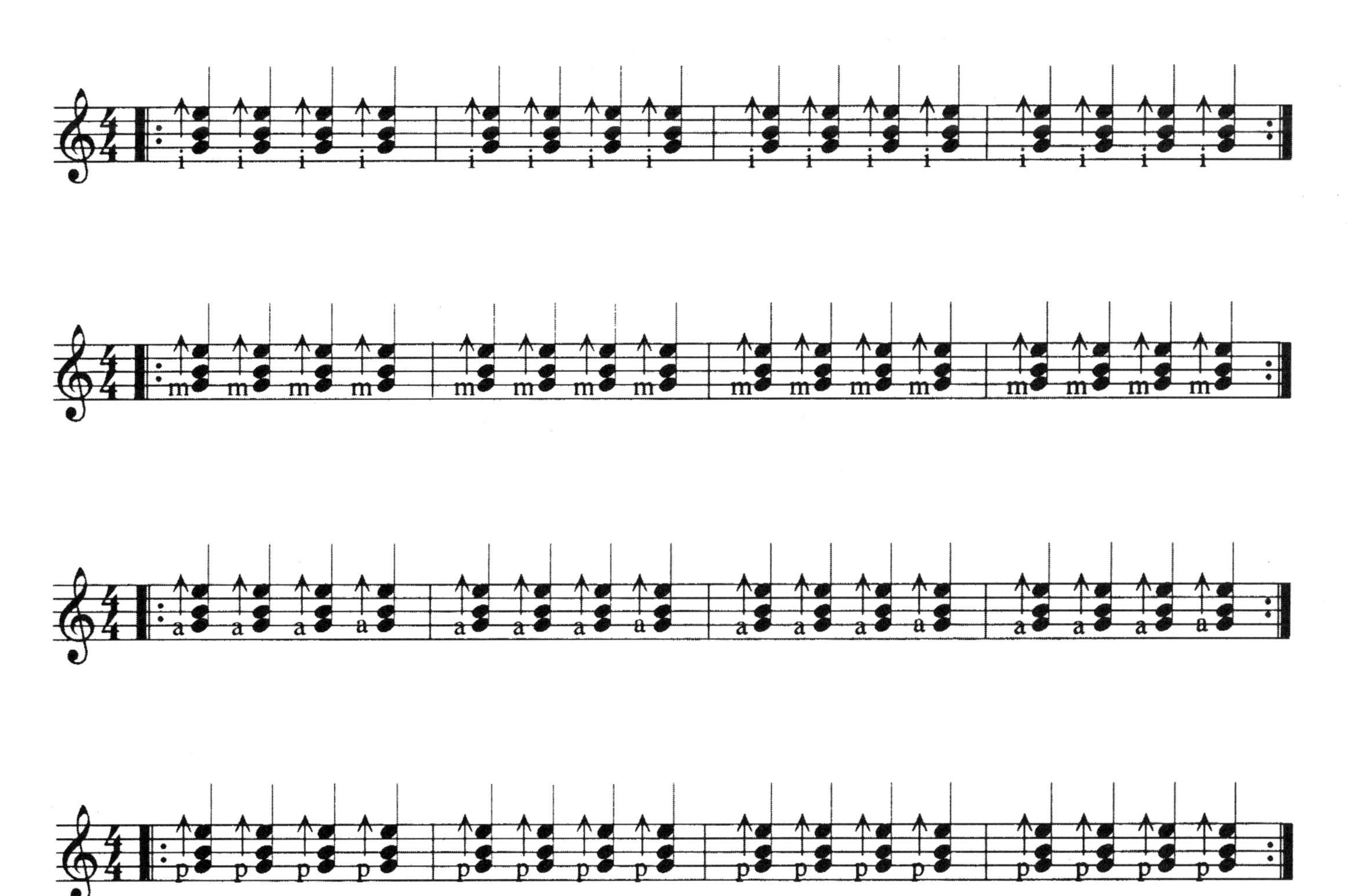

*percussive：打楽器的なの意。

*pitch：音高、音の高さのこと。日本では「ピッチ」の意味で音程という言葉が用いられているが、本来の音程の意味は音と音の隔たり（インターヴァル）を表す用語であることを覚えておくとよい。

ラスゲアードの練習　グループ2：高音弦上で１本の指によるアップ･ストローク

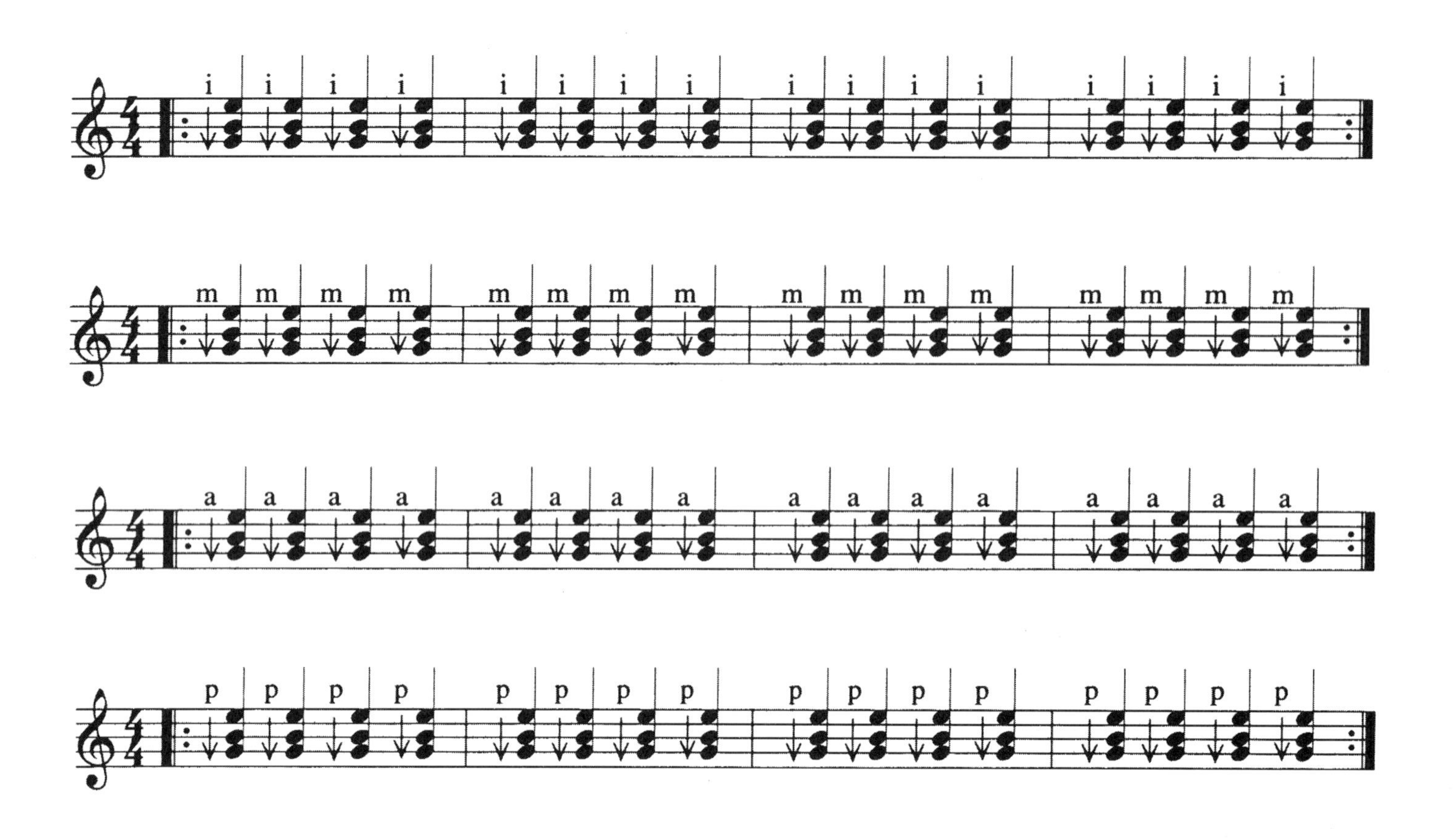

ラスゲアードの練習　グループ3：高音弦上で指の組み合わせによるダウン･ストローク

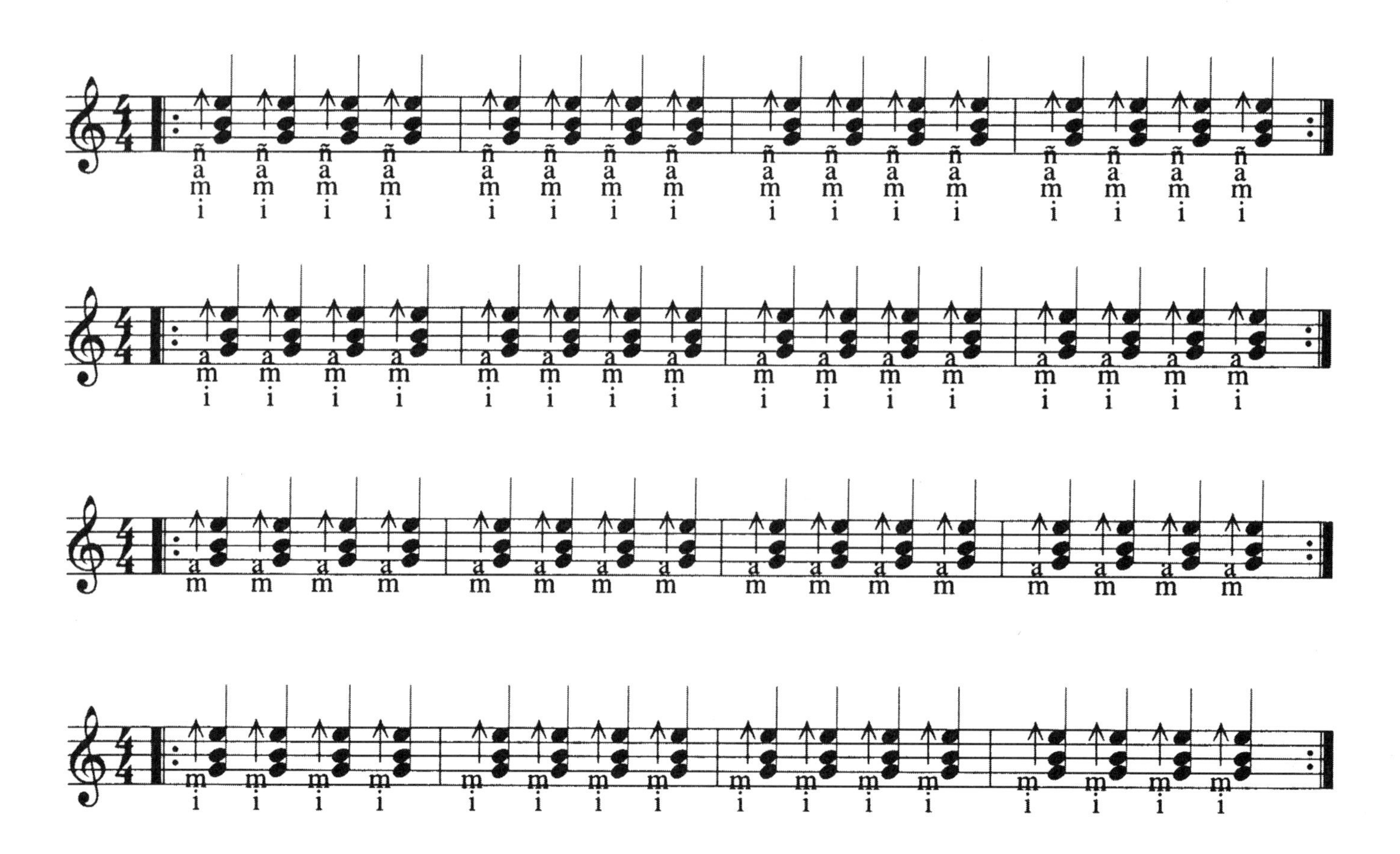

ラスゲアードの練習　グループ４：高音弦上で指の組み合わせによるアップ･ストローク

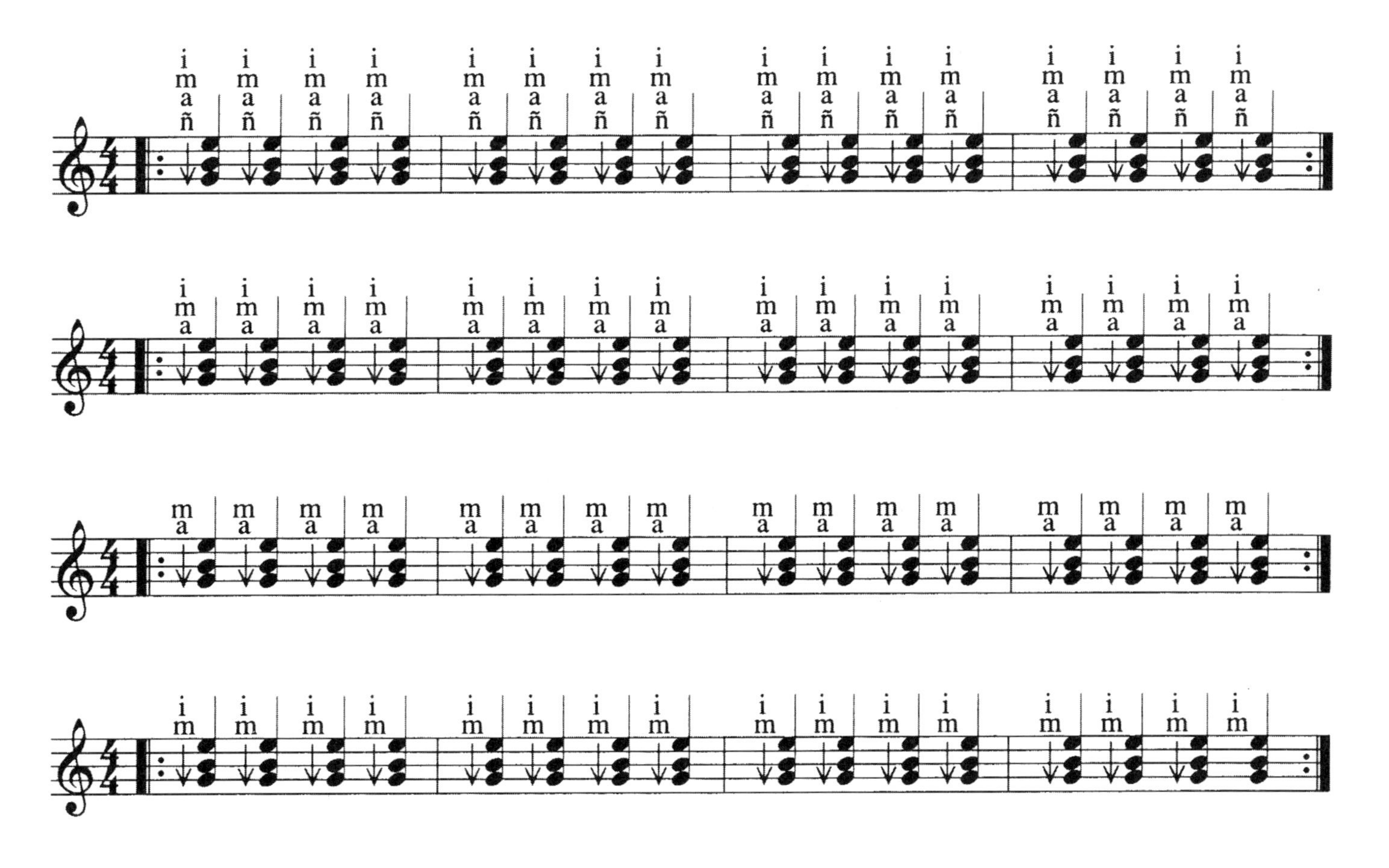

ラスゲアードの練習　グループ５：ñ-a-m-i と ñ-a-m-i-p によるスタガード･ダウン･ストラムの連続

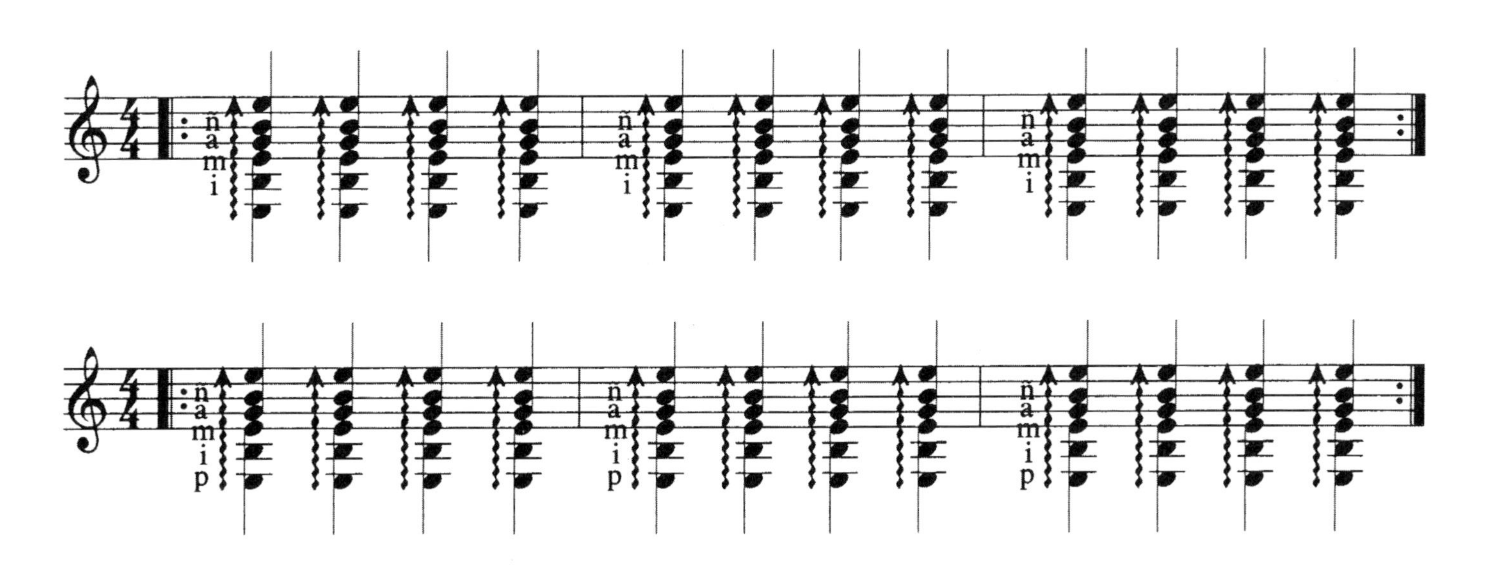

ラスゲアードの練習　グループ６：ñ-a-m-i によるスタッガード･アップ･ストラム

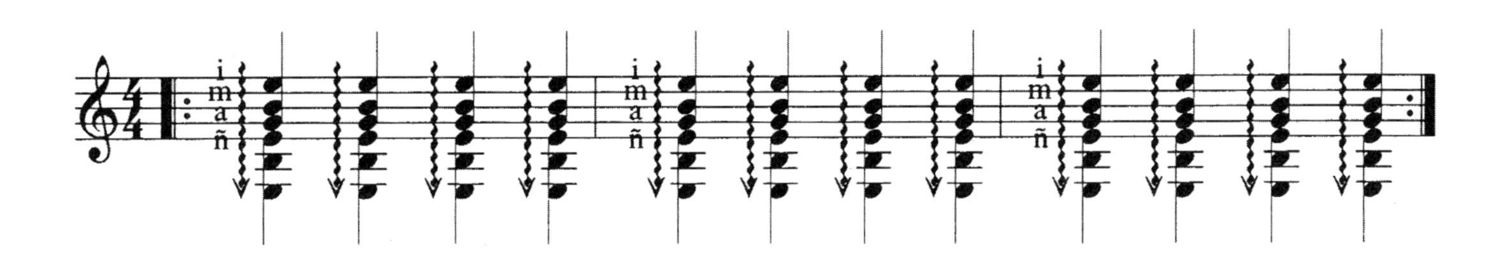

ラスゲアードの練習　グループ7：ñ-a-m-iによるアップとダウンの継続的なロール

ラスゲアードの練習　グループ8：親指による3音、4音、6音のアップ･ストロークとダウン･ストローク

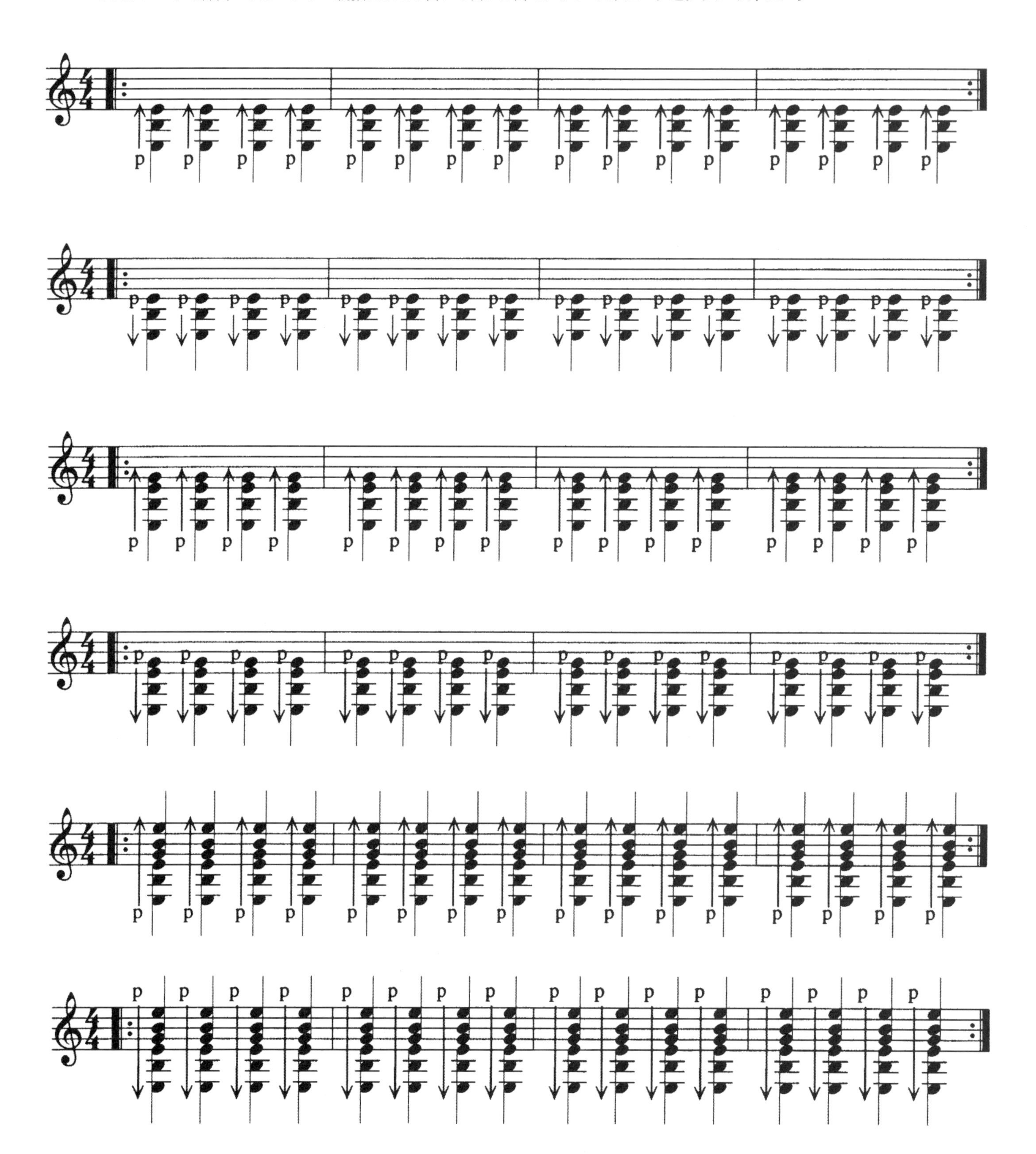

以下は、ストラムの演奏方法に大事な細目を表すラスゲアード早見表です。これらのダイアグラムを正確に解釈するために、次の表示を理解しておきましょう

＝低音弦から高音弦に向かうダウン・ストラム

＝高音弦から低音弦に向かうアップ・ストラム

＝スタガード・ダウン・ストラム

T ＝各指による高音弦のみのストラム

B ＝各指による低音弦のみのストラム

P ＝親指のみのよるストラム

Bが（上につける代わりに）**音符の下側**につけられた場合は、１つのベース音だけを親指ではじくことを示します。

これらのラスゲアード・パターンに関して、全般的な説明をしておきます。**これらは決して絶対的なものではありません。** 考えられるたくさんの可能性の１つにすぎません。連続的なストラムには、リズムおよび用いる指の順序に無数のヴァリエーションが考えられます。このことから、いかなる特定のヴァージョンでも、それを唯一認められる可能性として主張することは非現実的なことです。各ギタリストによって、たくさんのヴァリエーションが存在します。従って、今日のラテン・アメリカ全体で見受けられる、多くのヴァリエーションのすべてを網羅することは不可能と考え、本書では基本的なものだけを紹介するように心がけました。

ラスゲアードのストラム・パターン

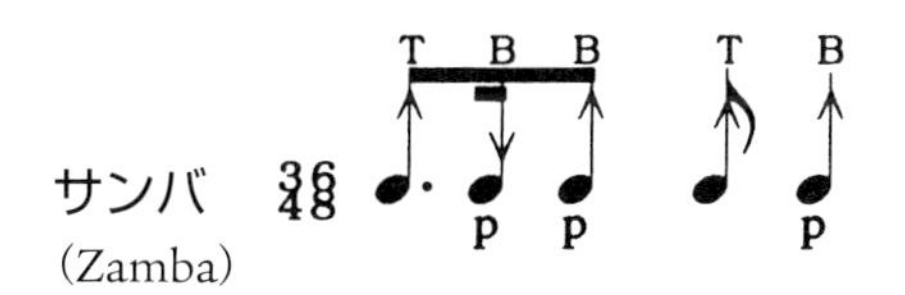

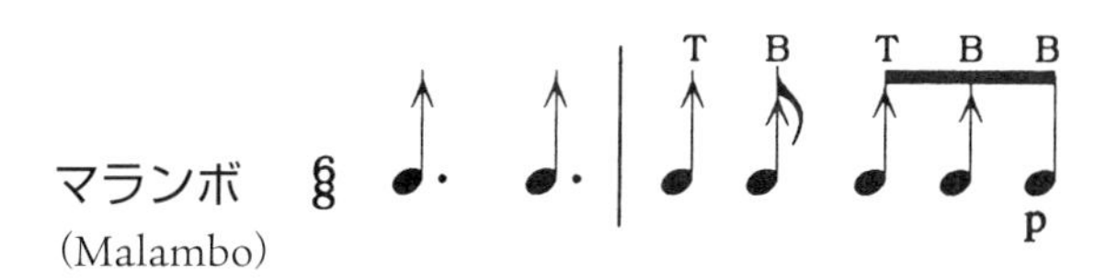

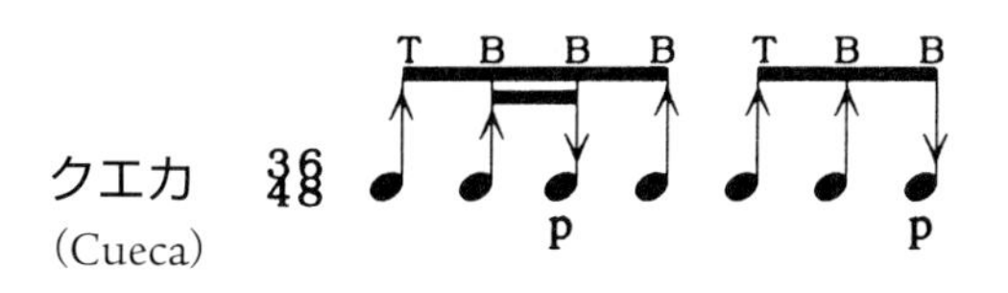

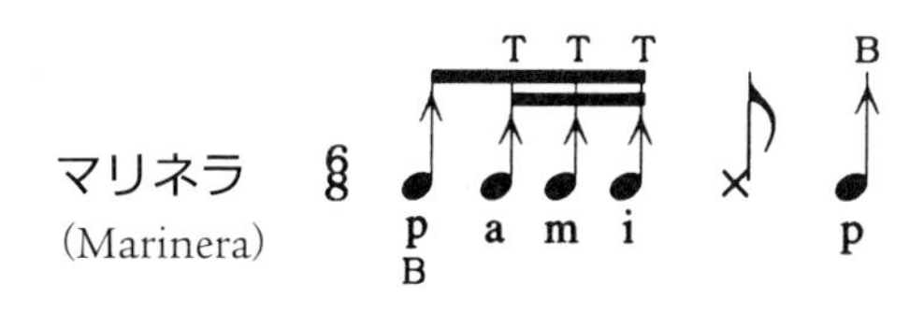

カルナヴァリート
(Carnavalito)
フアイノ
(Huaino)
チャカレラ
(Chacarera)
ヴィダラ
(Vidala)
ポルカ・パラグアヤ
(Polca Paraguaya)
ガロパ
(Galopa)
グアラニア
(Guarania)
パシーロ
(Pasillo)
パランデラ
(Parrandera)
フアパンゴ
(Huapango)
タンビト
(Tambito)
サン・ハリセンセ
(Son Jalicense)
ボレロ
(Bolero)
コリド
(Corrido)

弦をはじくリズム・パターン

アルゼンチンのギター

ラテン・アメリカのすべての国の中でも、アルゼンチンはおそらくもっともギターが発展した国でしょう。19世紀中頃までに、*フェルナンド・カルッリ、*ディオニシオ・アグアード、*フェルナンド・ソルに指導を受けた多くのヨーロッパのギタリストたちが、その奏法をもってブエノス・アイレスとモンテヴィデオにやって来ました。

19世紀の間には、リオ・デ・ラ・プラタにおいて、*フォルクローレ(民俗音楽)の形式とヨーロッパのクラシック・ギターのテクニックの融合が、*クレオール・ギター(ギターラ・クリオラ)に新しい息吹を与えました。この時代の作曲家やギタリストの中には、*Juan Alais*(1844－1914)と*Gaspar Sagreras*(1838～1901)がいます。アルゼンチンの最初のクラシック・ギタリストとして世界的に真の評価を得たのは1907年の生まれの*María Luisa Anido*です。

アルゼンチンのクレオール・ギターは、1940年代にフォルクローレ(民俗音楽)の達人である*Atahualpa Yupanqui*(1907～1992)と*エドゥアルド・ファルー(1923年生まれ)の出現によって完成されました。彼らの他に、同じタイプのギタリスト兼シンガーとしては、*Chango Rodriguez*と*Jorge Cafrune*がいました。アルゼンチン出身のギタリストはあまりにもたくさんいるため、すべての名前をあげることはできませんが、中でも*Able Fleury*(1903～1968)、*Jorge Morel*(1931年生まれ)、*Cacho Tirao*(1941年生まれ)はもっとも有名です。今日音楽学校で教育を受け、国際的に目覚ましい成功を成し遂げた新しい世代のギタリストたちには、*Jorge Cardoso*、*Roberto Aussel*、*Minguel Girollet*、*Jorge Labanca*、*Eduardo Isaac*、*Maximo Pujol*などがいます。

アルゼンチンの音楽

アルゼンチンのフォルクローレには、50以上もの舞踏曲(ダンス音楽)と、膨大な数の曲の形式があり、非常に豊富に存在します。ここではもっとも有名な3つのリズムであるサンバ(Zamba)、マランボ(Malambo)、カルナヴァリート(Carnavalito)を取り上げます。

サンバ(Zamba)

このダンス曲は、アルゼンチンのフォルクローレの中でも、おそらくもっとも広く知られるものです。3/4拍子に少しだけ6/8拍子が混ざり合っています。以下はサンバの基本リズム・パターンです。

このリズムは、ギターでは以下のように演奏します。

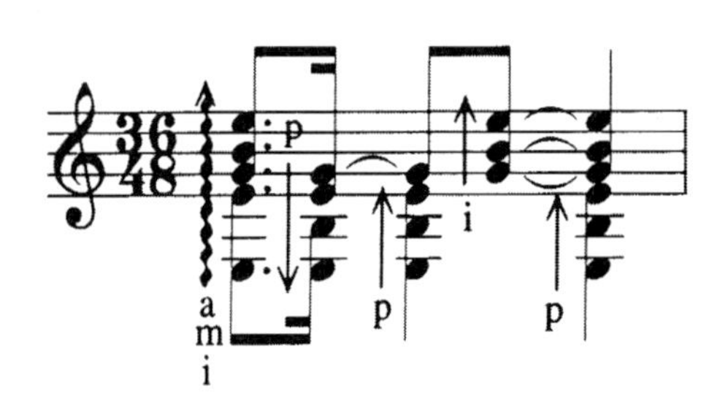

*Fernando Carulli：イタリアのギタリストで、作曲家。1808年よりパリに定住し、特に教師として名声を上げ、当時のギター教育に貢献した。作品には、教則本の他、協奏曲を含み300曲以上の多くの親しみやすいギター曲がある。

*Dionishio Aguado：スペインのギタリスト、作曲家。　生地マドリードでギターを学び、当時確立されたばかりの6単弦ぎたーの名演奏家、教育者として名声を博した。作品は、有名なギター教則本、ロンド集op.2などがある。パリに赴きソルと並んで活躍した。

*Fernando Sor：スペインの作曲家で、ギタリスト。ギター音楽の古典時代(6単弦ギターの確立期)を代表する存在。作品の主力はギター曲で、情緒と精神性に優れた数多くの作品は現在も最高の古典とされている。

*folkloric music：フォルクローレ(フォーク・ソング)のこと。本来は、民衆の間で口頭伝承されてきた音楽で、長い年月にわたって民衆に共有されてきた地域色や国民性が反映された伝統的な音楽を指す。

*creole：クレオール人(ヨーロッパ人とアフリカ系性住民との間に生まれた人、西インド諸島や南米などで生まれた白人と先住民の間に生まれた人、西アフリカに定住させられた奴隷たちの子孫、ルイジアナ州などのフランス系白人と黒人と間に生まれた人)または、クレオール語(主にヨーロッパ原語と非ヨーロッパ系語による混成語)を指す。

*Eduardo Falu：アルゼンチンの偉大なるギタリストで作曲家。 1923年7月7日北部サルタ州のエル・ガルポンに生まれる。 両親はトルコからの移民。

このリズムは、もともと19世紀初頭までザマクエカ(zamacueca)として知られていた、植民地だった頃のペルーに発しています。このリズムはペルーから南に広がり、アルゼンチンのサンバ(zamba)だけでなく、チリのクエカ(cueca)、ペルーのマリネラ(marinera)が生まれました。

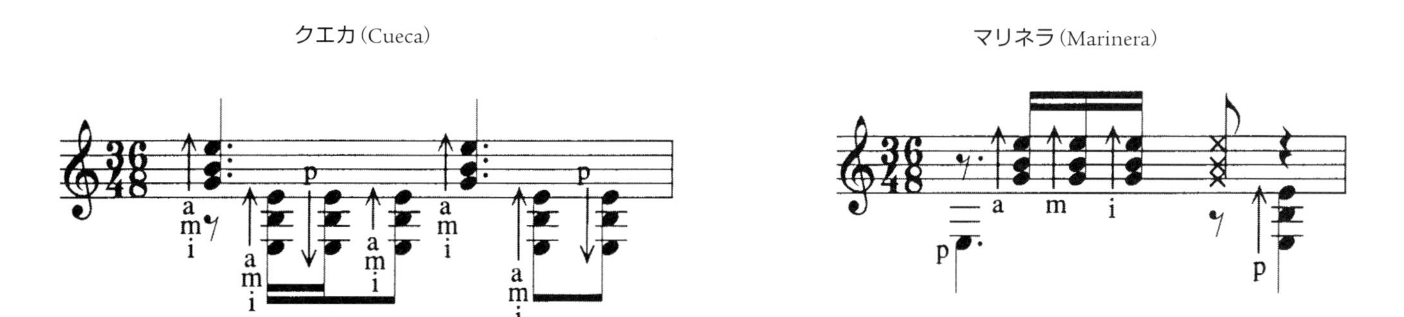

これらの基本リズムは単なる1例であり、実際にはさまざまなヴァリエーションによって変化がつけられます。以下は、サンバの基本リズムと6つのヴァリエーションです。以下に示されたとおり、このリズムは2つに分けることができますし、ギタリストはこれらすべてのアイディアを即興的に自由に組み合わせて演奏します。

サンバのラスゲアード・ヴァリエーション

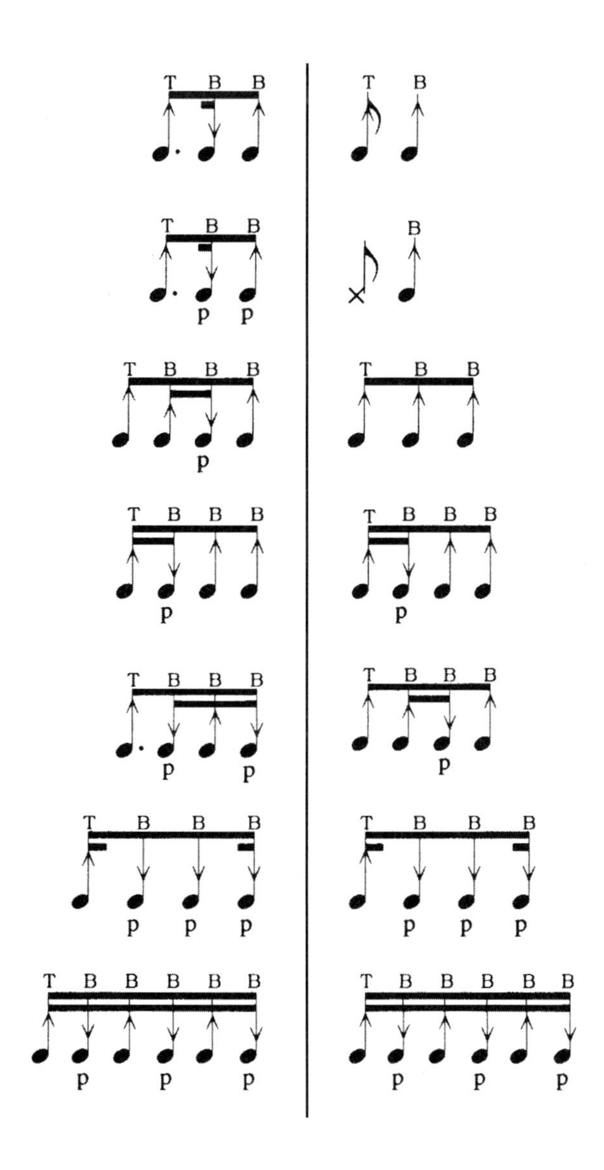

Eduardo Falúに捧ぐ

サンビアンド

Zambeando

Track 4

CIV
CVII
CVIII
CIII
CII
poco rall.

C VII
poco rit.
rallentando
rit.

マランボ (Malambo)

マランボ(Malambo)は、IV-V-I(例えば、EキーではA-B7-E)というコード進行でできた活発なアップ・テンポのダンス・リズムです。*ガウショ(ガウチョ)文化の最盛期には、この民族舞踊は挑戦のテーマとして使われました。この踊りは、参加者の能力とスタミナ次第で何時間も続けられました。

ガウショ(ガウチョ)もまた、自分たちの音楽にギターを使用しました。彼らは演奏しながら、「ピー・ヤー」と呼ぶ即興的な歌を歌うためにギターを重宝し、定期的に歌と詩のコンテストを開催して競い合いました。これらのコンテストに出演する ガウショ(ガウチョ)は、パヤドレスと呼ばれました。

これは、マランボの基本ストラムです。

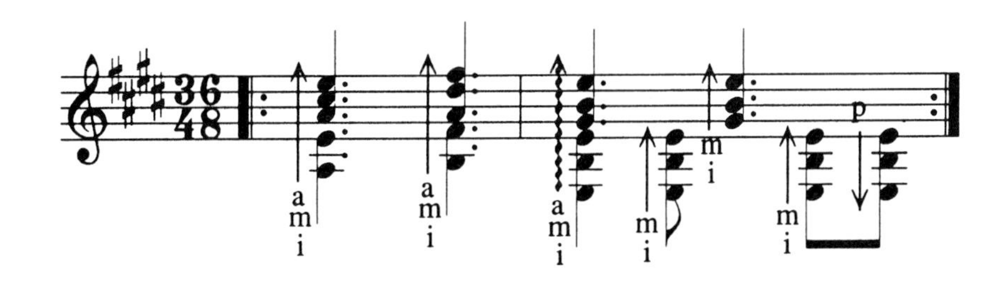

２小節フレーズが、サブドミナントからドミナント、そしてトニックに動くという、特有のコード進行を追っている点に注目しましょう。この延々と続くメジャー・コードのくり返しが、マントラのような効果を創り出し、それが即興的に使用されます。

カルナヴァリート (Carnavalito)

この**民族舞踊**は、アルゼンチン北部からアンデス、チリからボリビアとペルーにかけて全体的に見られるものです。古来のグループ・ダンスでは、カーニバルの時に男女が組んで踊ります。アップ・テンポの快活な２拍子で、ハーモニーには*ペンタトニックの特徴が見られます。ほとんどのカルナヴァリートは、V/IIIからIII、そしてV7からi(例えば、EマイナーではDメジャーからGメジャー、そしてB7からEマイナー)というコード進行を使用します。これらのコードが、即興的に何度もくり返されます。これは、カルナヴァリートの基本ストラムです。

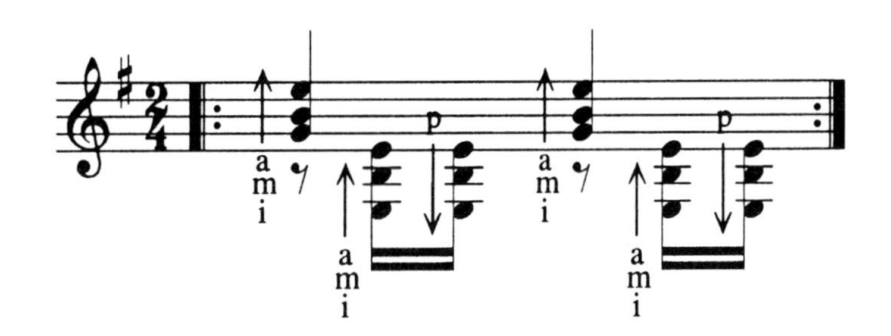

次の２つの練習曲MalambismosとEstudio de Carnavalitoは、どちらも上記のリズムの練習に役立つものです。

*gaucho：本来は、南米のパンパ(草原地帯)に住むスペイン人を父と先住民(インディオ)の母との間に生まれたの混血のカウボーイのこと。ブラジルのリオ・グランヂ・ド・スール州の人びとも指すが、もともとは同州に隣接するウルグアイで生まれたガウチョが東へ広まってガウショと呼ばれるようになり、西へ広がってアルゼンチンのパンパ地方でガウチョとして世界的に有名な牧童になった。最近では、一般に牧場や農園で働く人びとをガウチョ(スペイン語)と呼んでいる。ブラジルでは日雇い労働者を意味するPeao(ペアウン)がカウボーイを表すようです。ガウショ文化を代表するのがシュラスコ、マテ茶、乗馬、ギターの弾き語り、そして民族舞踊です。

*pentatonic：１オクターヴの中の５つの音で構成されているスケール(音階)。民族によりさまざまな組み合わせの５音が用いられるが、西洋音楽では、例えば、メジャー・スケール(長音階)の４度と７度を省いたスケールは(ピアノの黒鍵だけD♭-E♭-G♭-A♭-B♭=C♯-D♯-F♯-G♯-A♯を弾くと)ペンタトニック・スケールになる。

Hector Ayalaの思い出に捧ぐ

Track 5

マランビスモス

Malambismos

♩ = 96 - 100 CII

CII

CII

CII ¢II ¢IV

CIV
CII
CII
CII
CII
CV
CVII
¢IX
CIX
CVII
CIV
CII

CIV
CII
T
A
B

T
A
B

T
A
B

CIV
CII
CII
ñ
a
m
i
m
i
m
i
m
i
p
T
A
B

₵II
₵IV
CV
CIV
CIII
CII
₵IV
₵V

₵IV
CII
CII
CIV
CVII
₵IX
₵VIII
CVII
CV
₵IV
CII
CIII
rallentando

CIII
ñ
a
m
i
p
¢IV
CIV
¢II
¢IV
¢IV
rallentando
molto
breve
CII
¢IV
CII
rallentando
CV
CVII
CV
CVII
¢IX
a tempo
ñ
a
m
i
p
ñ
a
m
i
p
p
T
A
B

カルナヴァリートのためのエチュード

Estudio de Carnavalito

Track 6

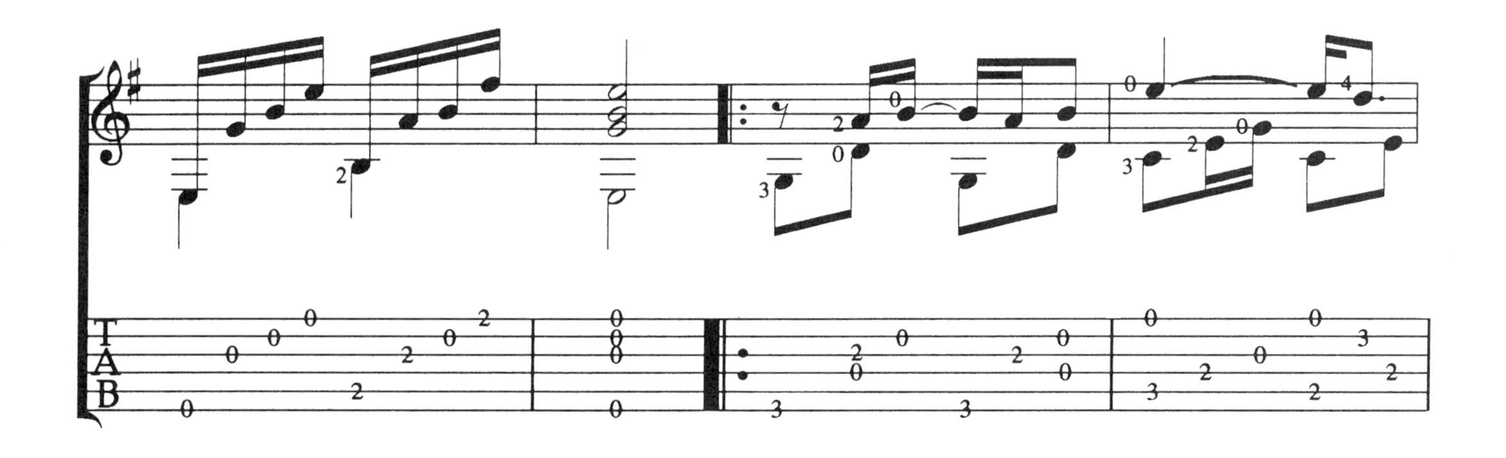

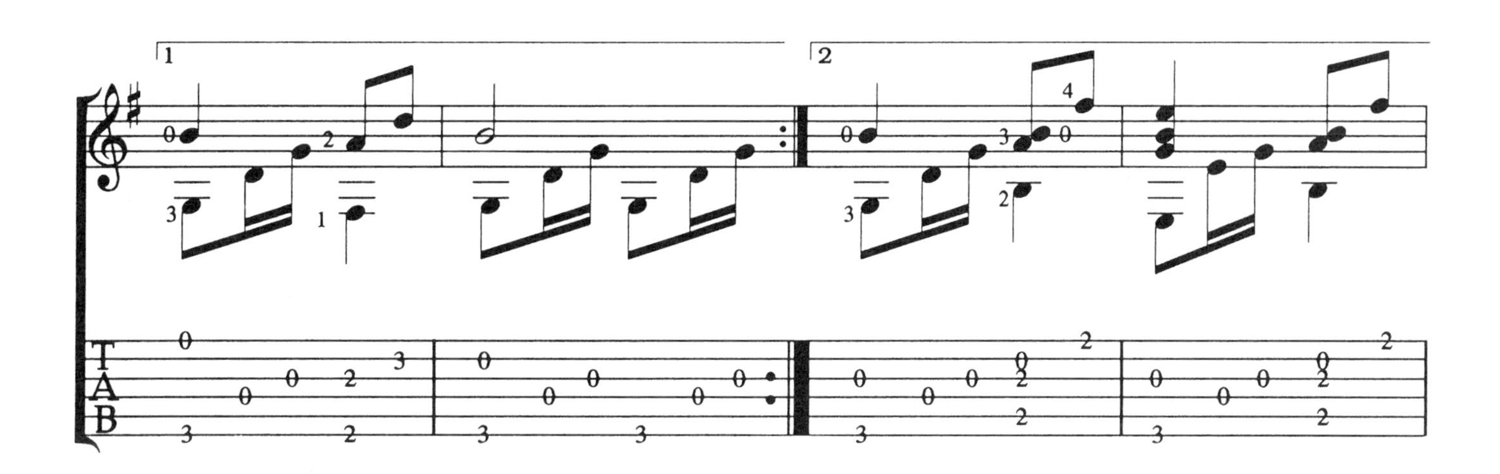

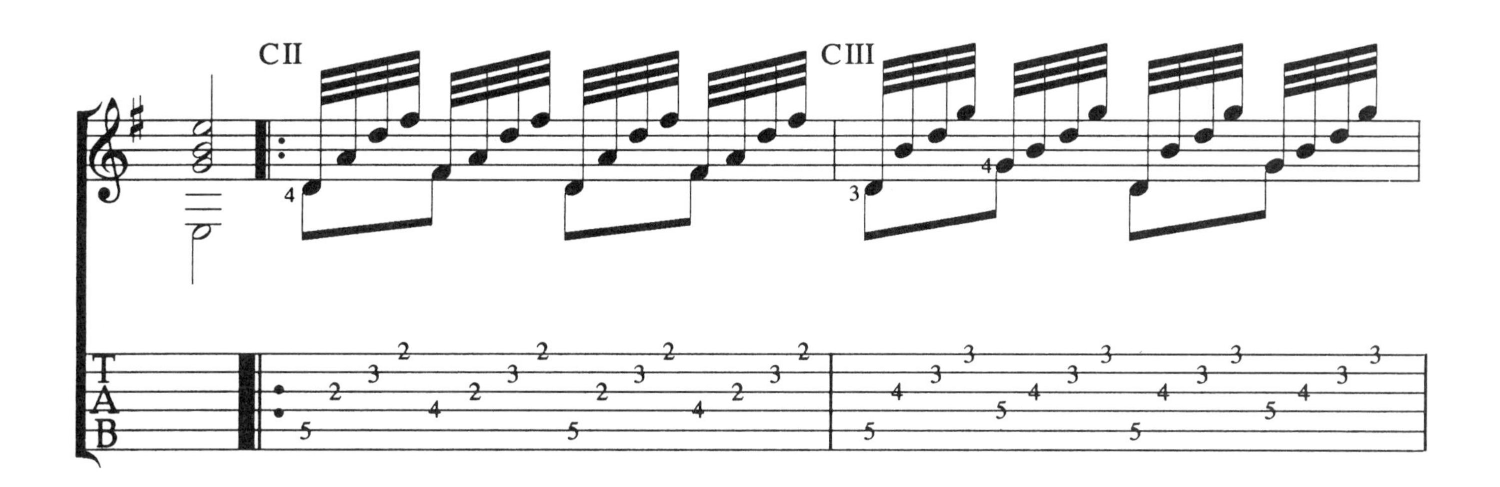
CII
CIII

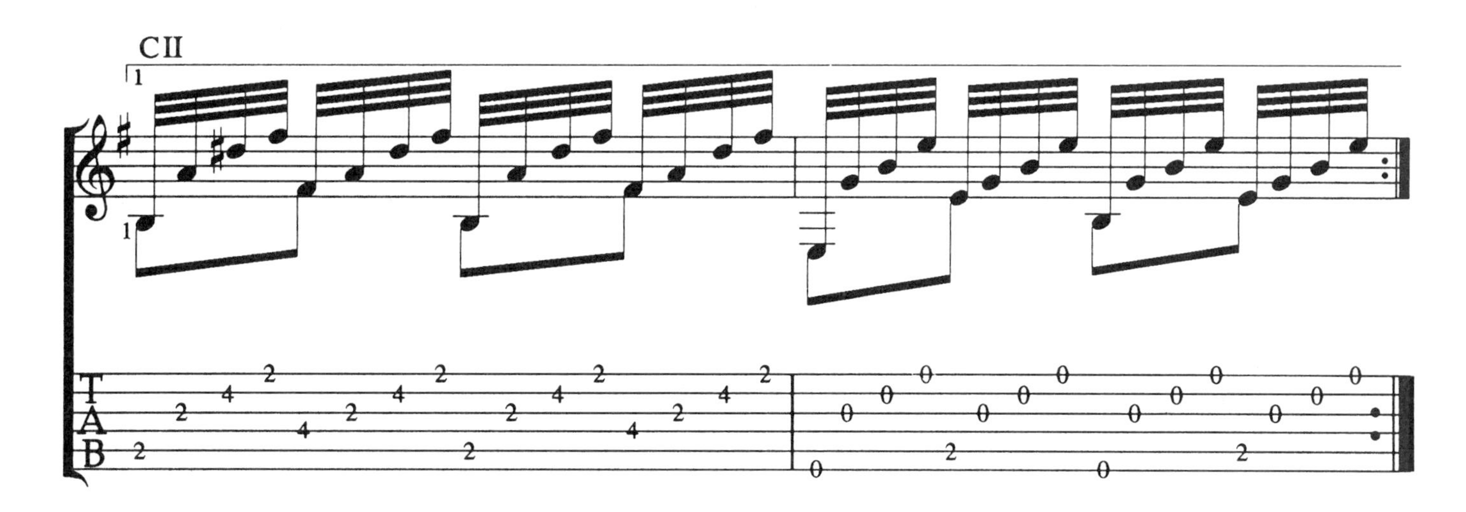
CII

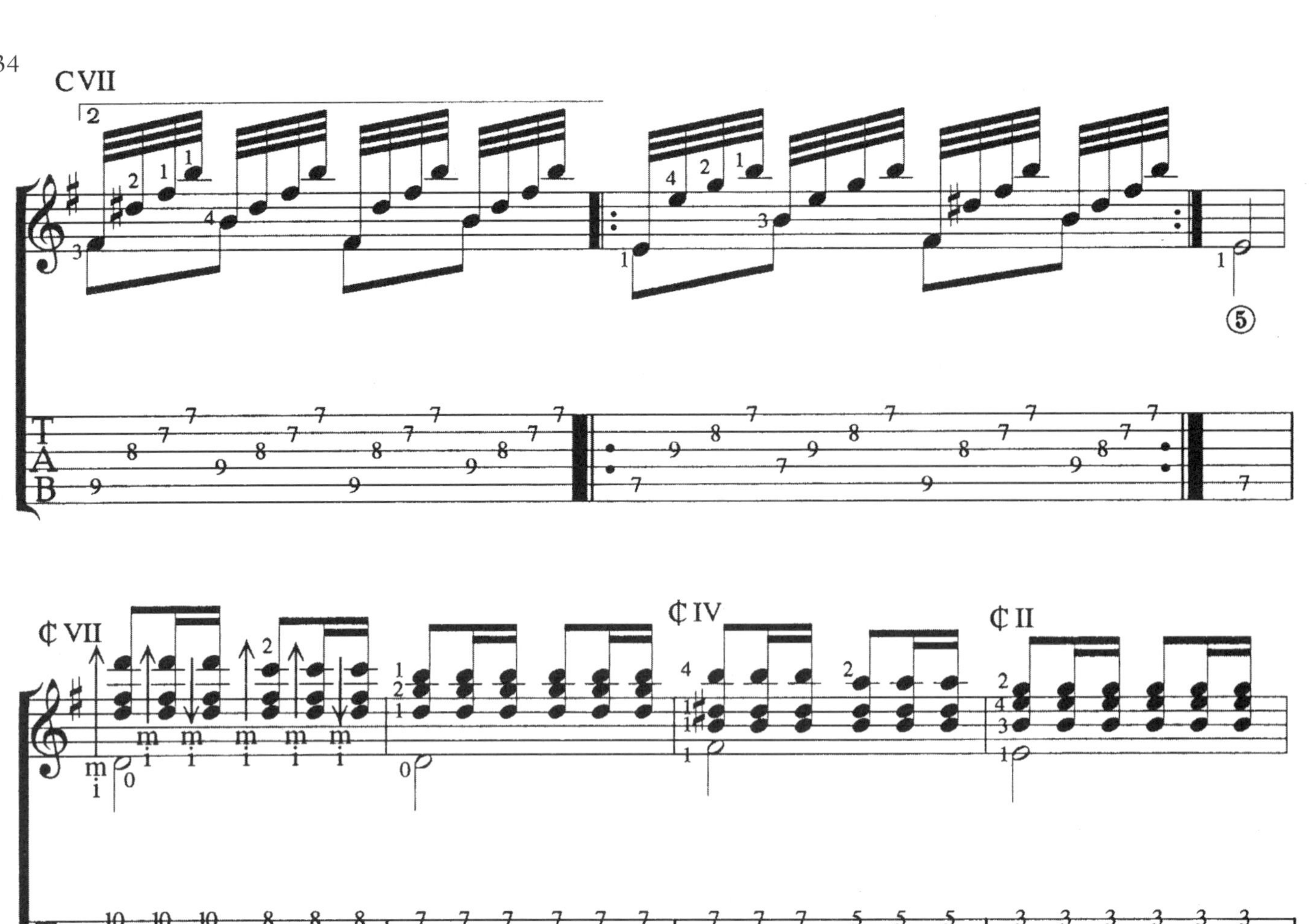

₵ VII

₵ IV

₵ II

₵ II

ブラジルのギター

ブラジルは巨大な国で、そしてブラジルにはギターにとっても大きな世界が広がっています。ポルトガル人は、スペイン人と同様に、自国の植民地にたくさんの楽器を持ち込みましたが、その中に、10弦のギターの形態の*ヴィオラ(スペルは同じですが、ヴァイオリンよりひと回り大きいヴァイオリン属のヴィオラとは無関係)がありました。この楽器は、E-G-B-D-Aのチューニングで、各弦がダブルで張られています。このヴィオラは、ブラジル人がヴィオラゥン(violão)と呼ぶ、近代的な6弦ギターが登場する19世紀まで広く使われていました。

ブラジルにおけるギターは、20世紀になって非常に重要なものになり始めました。*Americo Jacomino* (Canhoto)、*Satyro Bilhar*、そして*Joao Pernanbuco* (1884～1947) といったギタリストたちが第1世代でした。*アウグスティン・バリオス・マンゴレ (1885－1944) は、1915年頃からブラジルでコンサートを始め、ブラジルのみならず、中・南米のギター界に大きな足跡を残しました。*フランシスコ・タレガの弟子の *Josefina Robledo*は、1917年からブラジルに住み、演奏活動を始めました。ブラジルの偉大な作曲家*エイトール・ヴィラ＝ロボス(1887～1959)は、若い頃に集中的にギターを練習し、上記のミュージシャンたちの音楽を聴いて育ちました。

ブラジルのギターに対する認知を形成したものは、ブラジルのポピュラー音楽(ショーロ、サンバ、ボサ・ノヴァなど)であり、同時にヴィラ＝ロボス、*Camargo Guarnieri*、*Francisco Mignone*、*Radames Gnattali*など、重要な作曲家たちによる非常に力強いソロ・ギターのレパートリーでした。ポピュラーの世界には、*Garoto* (1915～1955) として知られる*Augusto Anibal Sardinia*、*Laurindo Almeida* (1917～1995)、*ルイス・ボンファ、*バーデン・パウエル、*Dilermindo Reis*、*Paulino da Nogueira*、*Sebastião Tapajos*、*Carlos Barbosa-Lima*、そして*Assad*デュオ(*Sergio*と*Odair*)など、優れたギタリストたちがいました。これらすべてのギタリストたちが、ブラジルのスタイルとレパートリーの発展に多大な貢献をしました。

スペインの支配下にあった国ぐにと比較すると、ブラジルのギターは以下の点が異なります。

1. ブラジル人は、他のラテン・アメリカの人たちほどストラムを使わないで、よりギターをはじく傾向がある
2. 3/4拍子や6/8拍子より、2拍子が多く使われる
3. ブラジルのポピュラー音楽は、より複雑なコード(例えば、マイナー7thコードに半音の変化音♭5thや、9th、11th、13th などを伴う)を使用する

上記のすべてのことが、ブラジル音楽がラテン系以外の人たちにも親しみやすくさせたことを説明していますが、それはたぶん、2拍子、ジャズ的なコード、最小限のストラムを使用することから、ブラジル音楽が世界中で非常に高い人気を得た理由でしょう。

Augustin Barrios Mangore*：ラテン・アメリカ18ヶ国やヨーロッパでコンサートを行い、ギターの鬼才と呼ばれるバリオス・マンゴレは、今日、偉大な天才ギタリストとして、また重要なギター曲の作曲家として、世界中のギタリストにその名を知られている。本書の著者であり、バリオスの孫弟子でもある*Rico Stover*が編纂した「タブ譜付クラシック・ギター　バリオス・マンゴレ名曲集**」がATNから出版されている。

Francisco Tarrega*：すべての時代をとおして、最も影響力のある偉大なギタリストで、作曲家。タレガはギターのための曲を作曲し、自ら演奏することで、クラシック・ギターの可能性を大きく広げた。タレガの音楽を楽しみたい人は、「タブ譜付クラシック・ギター　タレガ名曲集**」(ATN刊)で堪能できる。

**Heitor Villa-Lobos*：中南米が生んだ最大の作曲家と位置づけられる ブラジルの作曲家。アマチュア音楽家の父から手ほどきを受けたが、10代の頃ショーロのグループに参加し、18歳ころからブラジル各地を旅行し、その間民俗音楽に知識を蓄えたことが彼の霊感の源となった。ほとんど独学だが。1915年頃から才能を認められ、1923～30年にはヨーロッパに行き名声を博した。作品総数は数百にもおよぶが、中でもブラジルのフォルクローレをバロック風に解釈した「ブラジル風バッハ」と「ショーロス」が代表的な作品といえる。

**Luíz Bonfá*：ルイス・ボンファは、アントニオ・カルロス・ジョビンと並び、ブラジルの代表的なギタリストで作曲家。ボンファの代表曲には、映画「黒いオルフェ」のために書かれた「オルフェのサンバ」、「カーニヴァルの朝」などがある。

**Baden Powell*：若くしてボサ・ノヴァ・シーンに登場した彼は、ジャズとクラシックのスタイルにアフロ。ブラジルの音楽をミックスできる数少ないミュージシャン。完璧なギター・テクニックをもつ演奏は、魔術的な音楽を音楽を奏でたり、子守歌のようにソフトになったり、ドラマーのようにパーカッシヴになったり、変幻自在で、リズム感、とてつもないスピードで弦をつま弾くテクニックは独自のもので、多くのギタリストに影響を与えている。代表作は、映画「男と女」にも使われた「抱擁のサンバ」、「コンソラサォン」、「デイシャ」など多数ある。

サンバ（Samba）

サンバは1920年代、サンパウロとリオ・デ・ジャネイロという都市で発展し、そのリズムはブラジル特有のものとして世界中に認識されるもの（サンバの名声は、1930年代にはシンガーの*カルメン・ミランダとともに頂点に達した）になりました。今日では、いくつかのサンバのヴァリエーション（サンバ・ヂ・モーホ、サンバ・カンサォン、ジャズ・サンバ）も存在しています。これらはすべて、安定したリズム、必ず親指で弾かれる4拍のオルタネート・ベース・ライン（ルートと5th）という、サンバの基本要素をもっています。

この2拍子のベース・ライン上で、指を使ってシンコペーションされたリズムを弾きます。

この基本パターンを、考えなくても弾けるようになるまで練習しましょう。一度習得したら、親指で4分音符の安定したベース・ラインを維持しながら、上声部で指を使ってリズムを即興的に演奏してみましょう。これは、親指の練習ための6つのパターンです。

*Carmen Miranda：カルメン・ミランダは、たくさんの優れたブラジルのサンバやマルシャ・ハンショをハリウッド映画で次々に歌った、特に、世界的に「ブラジル」という名で親しまれているサンバの代表曲「ブラジルの水彩画」はウォルト・ディズニーの映画で使用されたが、その後すぐに、頭に果物を乗せ、色鮮やかな衣装や宝石を身につけたエキゾチックな美人歌手、カルメン・ミランダによってカヴァーされ大ヒットした。何十年もの間、北米とヨーロッパにおいてブラジルのシンボルとして君臨し、世界のファンたちを魅了した。サンバは世界的な音楽となったのは、よくも悪しくも彼女の存在が大きい。

コードをつなぐタイの使用もまた、ブラジル音楽では一般的です。タイの使用によって、*オフビートまで音を延ばすシンコペーションを創り、サウンドをより豊かなものできます。これを表すため、以下に２つの方法で例を示しました。１つはタイを使用しない例であり、もう１つはタイを使用した例です。

例Aでは、休符によってシンコペーションを創っています。ギタリストは高音弦を演奏する時、ダンプによって書かれている休符を演奏しなければなりません。例Bでは、同じリズムがタイを使って書かれているため、ダンプをする必要がありません。しかし実際には、非常に多くの場合、AはB（タイで結ばれたコードの一定の使用が詳しく示された）としてサウンドするように演奏されます。どちらの方法でもシンコペーションは達成されますが、指によるダンプを使用すると、サウンドがよりスタッカートになることはいうまでもないでしょう。

以下は、これらの小さなリズミック・パターンを常套的に組み合わせる練習です。サンバを演奏するためのテクニックを発展させる上で役立つことでしょう。２つの例でタイが使用されている点に注意しましょう。

*offbeat：アフター・ビートと同義。小節内の偶数拍または弱拍を意味するが、これらの拍をアクセントをつけて強調するリズム感覚にまで発展して使われることが多い。この種のリズム感はジャズ・フィールに由来するものだが、現代のポピュラー音楽やロックの分野にまで広く浸透している。

サンバ・リズム練習

次ページは、サンバのリズムを練習するためのエチュードです。

*Luíz Bonfáに捧ぐ

サンバラード

Sambarado

Track 7

CVII
CVII
CIV
CIII
CII
CIII
CII
CIII
CII
D.S. to Φ

ⅭIV

パラグアイのギター

パラグアイではアルバと呼ばれるハープが主流であり、ギターはその伴奏楽器として使用されています。もちろん、ギターはソロ楽器としても洗練され、そして、パラグアイの出身のもっとも偉大な天才ギタリストで、作曲家の１人でもあるウグスティン・バリオス・マンゴレ（p.35脚注参照）は、ギターのために曲を書き、演奏をしています。その他のパラグアイ出身のギタリストには、*Gustavo Sosa Escalada*、*Ampelio Villalba*、*Carlos Talavera*、*Quirino Baez Allende*、*Pablo Escobar*、*Enriqueta Gonzalez*がいました。

Sila Godoy（1923年生まれ）は、バリオス時代以後の中心的なギタリストとして活躍してきました。新しい世代のギタリストたちに*Felipe Sosa*、*Violeta Mistral*、*Maria Luz Bobadilla*、*Berta Rojas*がいます。*Esteban Echeverría*は傑出したフォルクローレのギタリストです。

もっとも一般的な音楽形式が、ポルカ・パラグアヤです。3/4拍子と6/8拍子を融合した快活なアップ・テンポで、この基本ラスゲアードを使用します。

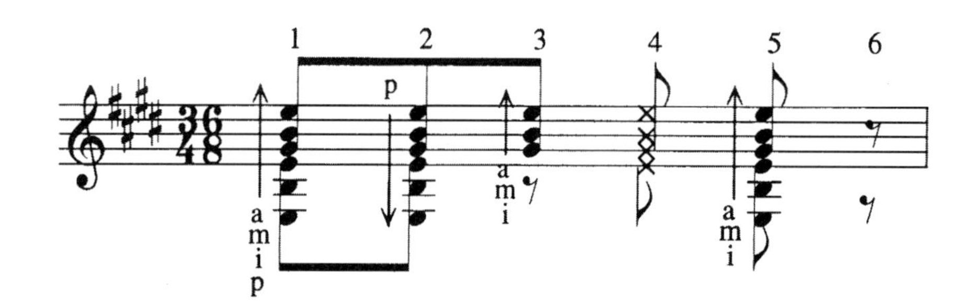

この伴奏は6/8拍子で、６つめの８分音符は休符になります。閉じた手でダンプした、４つめの８分音符にアクセントがつけられます。２つめの８分音符は、親指で６本の弦すべてをダウン・ストロークします。

このラスゲアドは、かなり速いテンポ（４分音符=160）で演奏できるようにマスターする必要があります。アルパ奏者は、ハーモナイズされたメロディーを片方の手で演奏しながら、もう一方の手で3/4拍子の一定のベースを演奏します。それに対してギタリストがこの6/8拍子のポルカ・パラグアヤのラスゲアードを演奏して、すばらしくリズミックな相互作用を生み出します。

ギタリストがソロで演奏する場合は、アルパのベースをまねて、親指で安定した3/4拍子を４分音符で演奏します。

弦をはじく3/4拍子とラスゲアードの6/8拍子を交互に行うと、最も大きな効果が得られます。

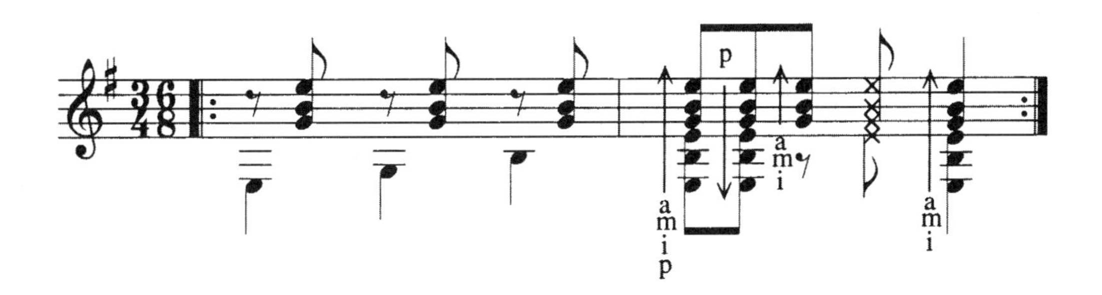

以下のページは、ポルカ・パラグアヤのリズムに基づいたエチュードです。ここでは基本的なラスゲアードに加え、パラグアイの音楽で非常に広く使用される終止形（ケーデンス）V-IV-iii-ii-I（B7-A-G♯m-F♯m-E）にも焦点を当てています。

もう１つのパラグアイのリズムは、グアラニア（guarania）です。このリズムは、1930年代に*José Asunción Flores*によって発明されたものであり、ポルカと同じ構成をもっていますが、はるかに遅いテンポで演奏されます。すべてフィンガー・ストロークで演奏され、軽快にという表現がもっともよく当てはまるリズムです。これはグアラニアの基本ラスゲアードです。

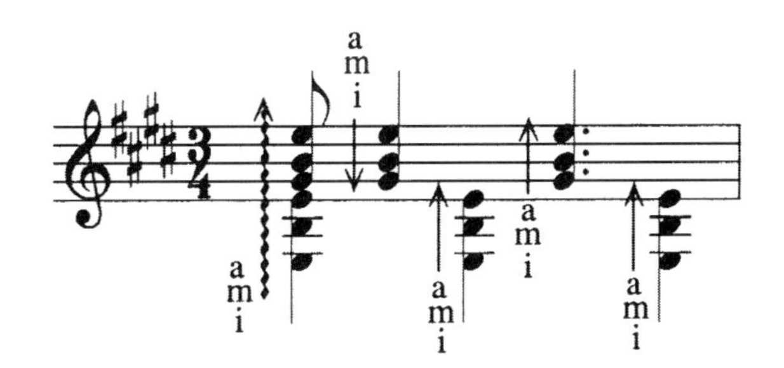

Sila Godoyに捧ぐ

ポルカ・パラグアヤ

Polca Paraguaya

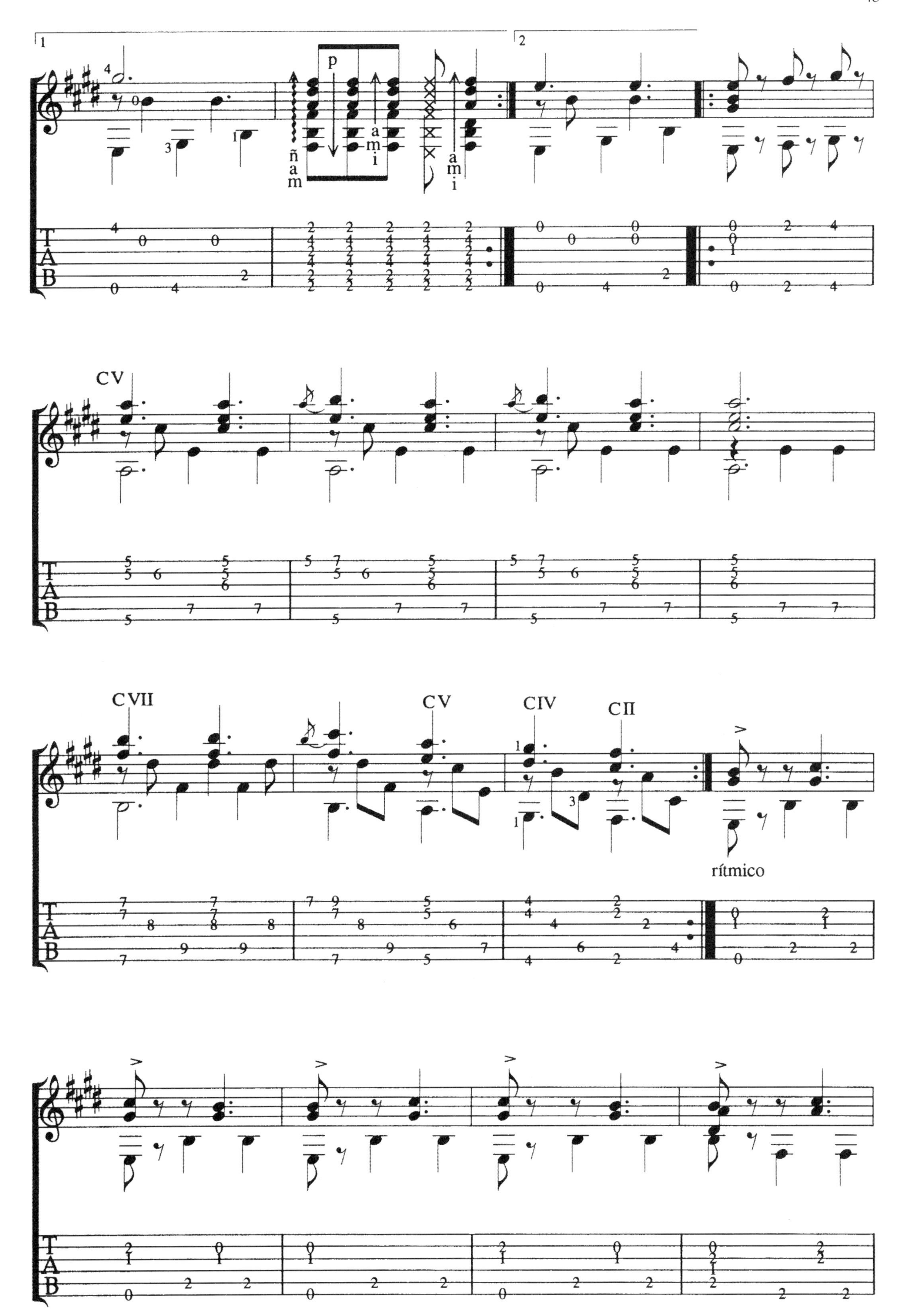
p
ñ a m
a m i
CV
CVII
CV
CIV
CII
rítmico

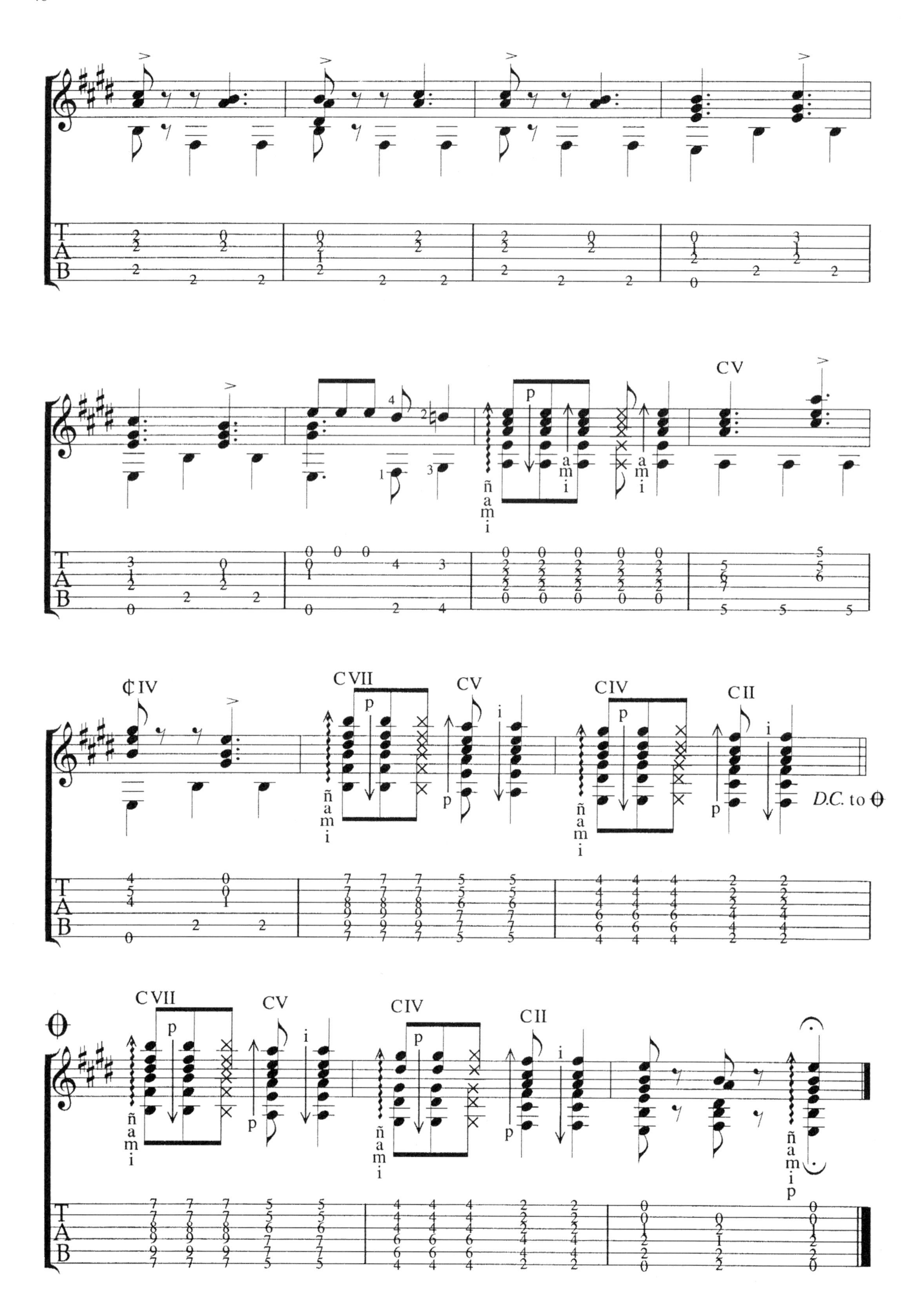
CV
₵IV
CVII
CIV
CII
D.C. to Φ

ペルーのギター

ペルーの音楽は、ペンタトニック・モードを使ったり、しばしば異なる拍子を組み合わせたりすることから、すべてのラテン・アメリカの音楽の中でも、おそらくもっともユニークといえるでしょう。例としてあげると、*Garcia Zárate*のヤラヴィ(yaraví)という楽曲形式による*La Despedida*の編曲は、2/2拍子で始まり、3/8拍子、6/8拍子、2/4拍子に変化していきます。ペルーの音楽を理解するためには、楽譜に書かれてたものを演奏しようとする前に、まず演奏を聴いてみることが特に効果的です。これは、私にとってもっとも難しいラテン・アメリカのギター・スタイルです。

ペールの音楽は、海岸の音楽と山脈の音楽との対比といった、地理的な観点からとらえることができます。海岸の音楽は、よりスペイン色の強い性質をもっています。海岸地域にはまた、黒人の人口が多く、そのこともこの音楽を特徴的なものにしてきました。マリネラは典型的な海岸の音楽です。ペルーの中でもすばらしい地域は、アルゼンチン北部、ボリビア、エクアドルを貫くアンデス山脈によって形成された高原地帯(altiplano)です。この地域の音楽は、非常にインディオ的なサウンドをもち、上に述べたような、変わったリズムの特徴を見せています。

今日のペルーの代表的なギタリストは、アヤクチョ出身の*Raúl Garcia Zárate*です。彼は多くのレコーディングを行ってきましたが、彼の母国のペルー以外ではほとんど発表されていません。もう1人の重要なギタリストであり、民俗音楽学者である作曲家は、リマ出身の*Javier Echecopar*(1955年生まれ)です。彼はペルー・ギター曲集を出版した人でもあり、これまでに膨大な数のレコーディングを発表してきました。

ペルーの音楽

ペルー音楽の基本的な形式は、ヤラヴィ(yaraví)、フアイノ(huaino)、マリネラ(marinera)、ヴァルス・ペルアーノ(vals peruano)です。フアイノはカルナヴァリートと関連がありますが、ラスゲアードと全体的な形式が異なっています。これらは、ペルーで演奏される4つのラスゲアードのリズムです。

フアイノ(Huaino)

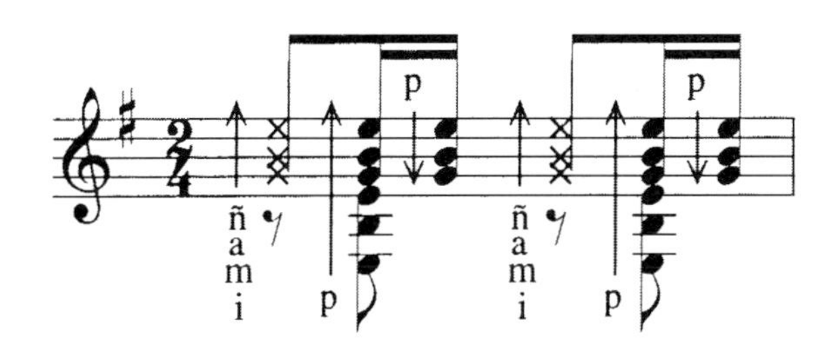

マリネラ(ヴァリエーション)(Marinera)

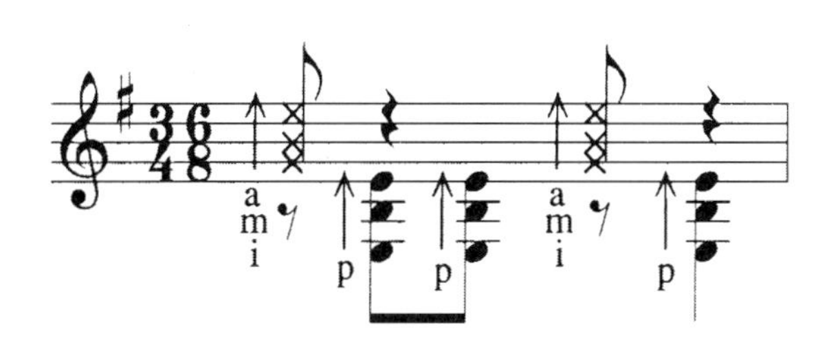

パシロ(Pasillo)

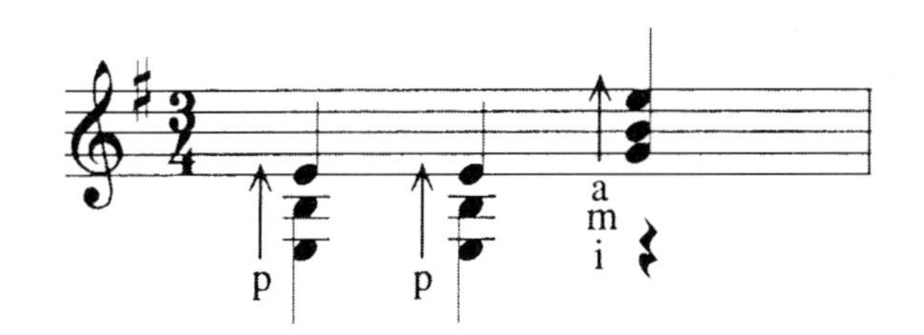

ヴァルス・ペルアーノ(Vals Peruano)

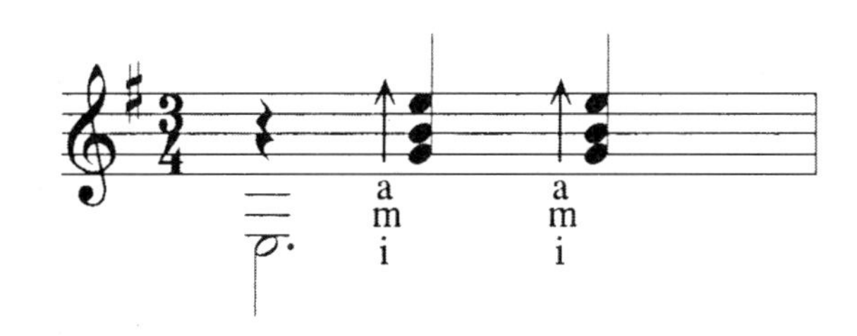

フアイノのためのエチュード

Ejercicio de Huaino

Javier Echecoparに捧ぐ

マリネラ

Track 10

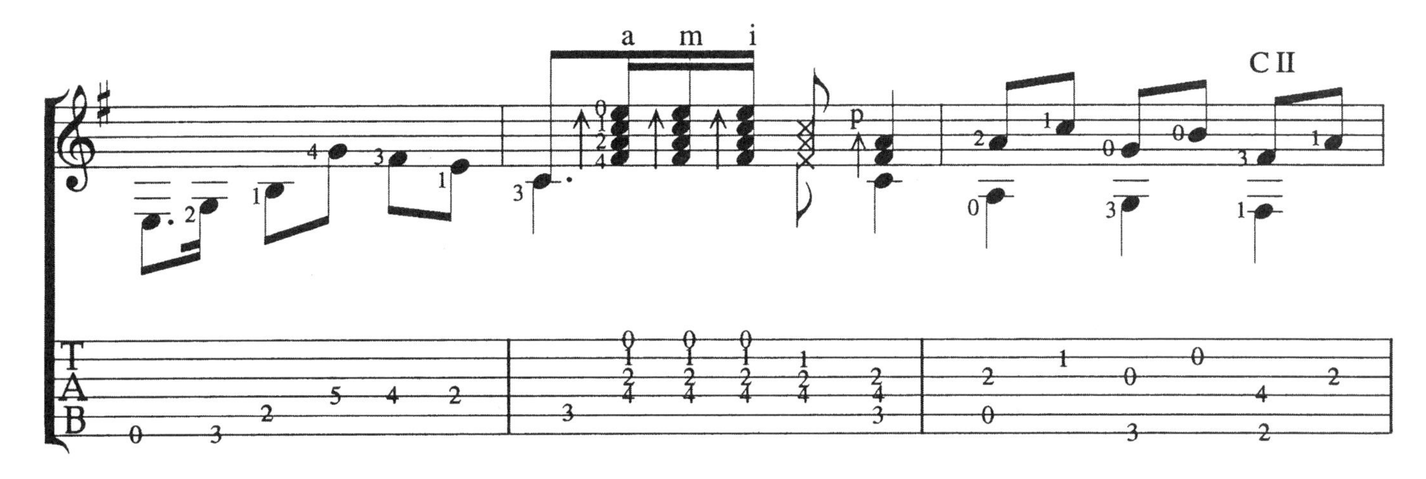

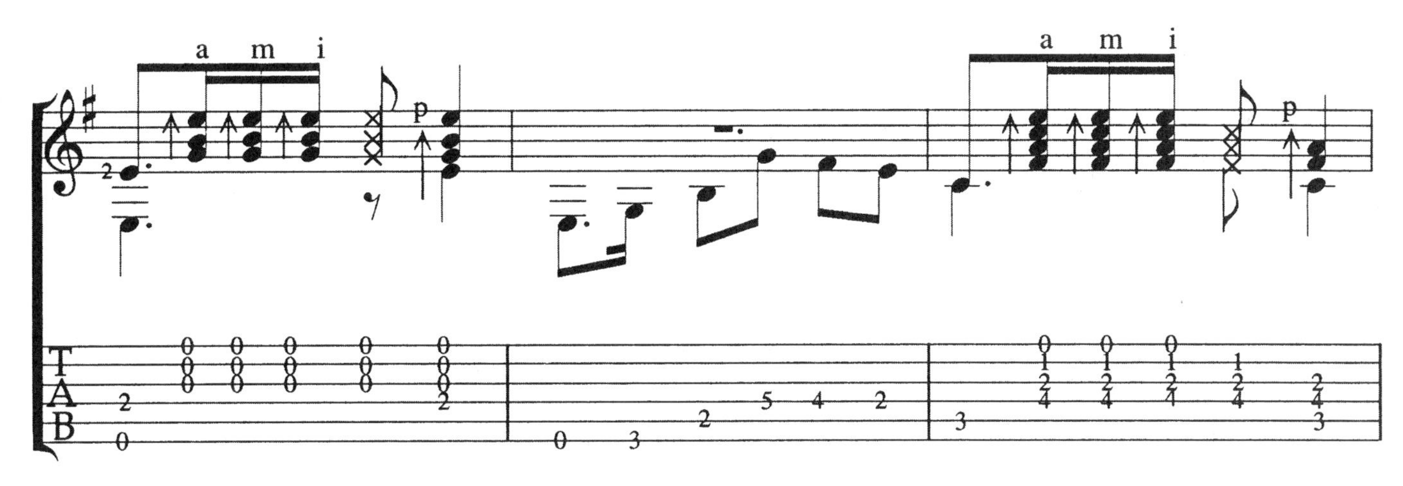

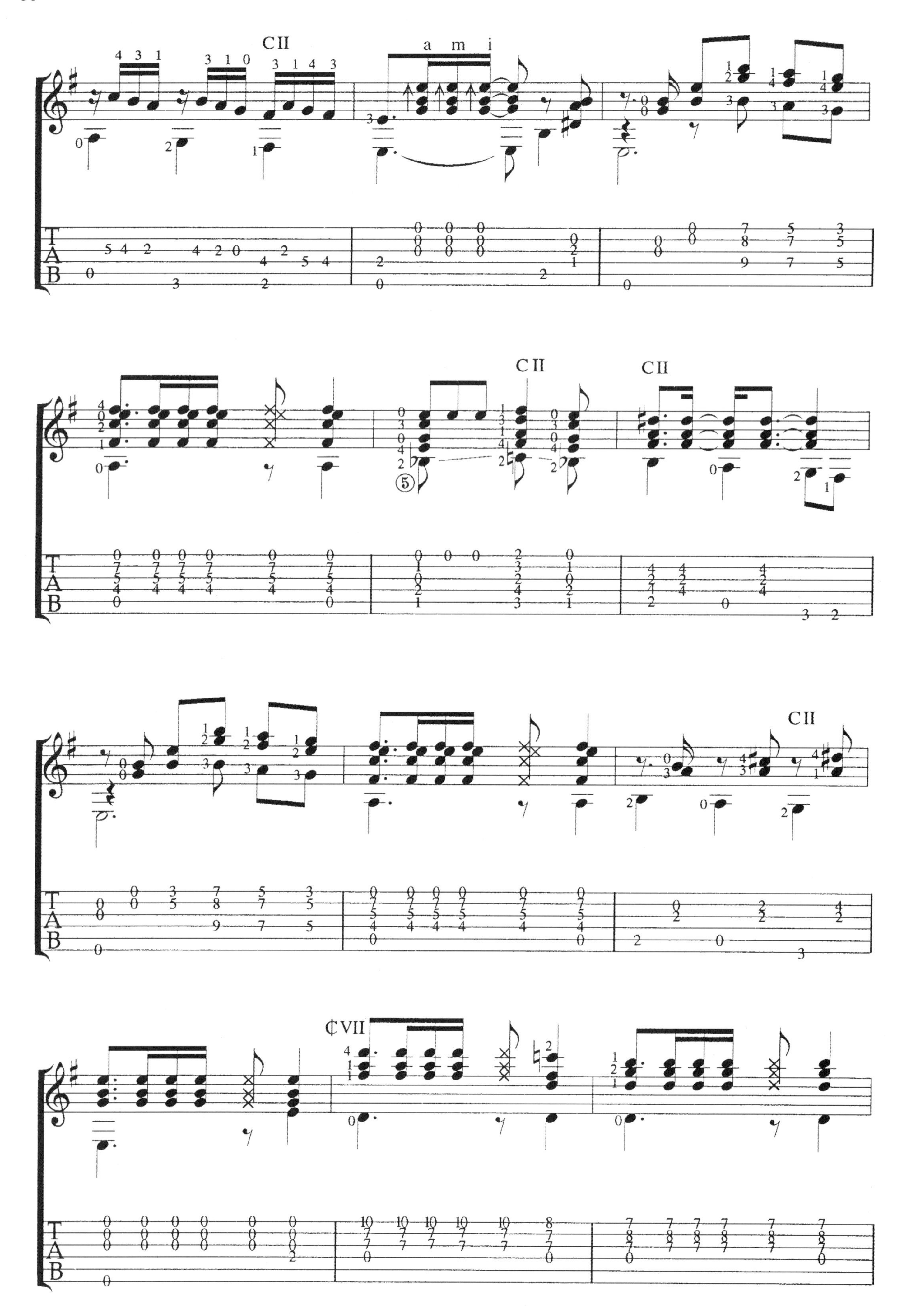
CII
a m i
CII
CII
CII
₵VII

₵ VII
a m i
TAB

CII
TAB

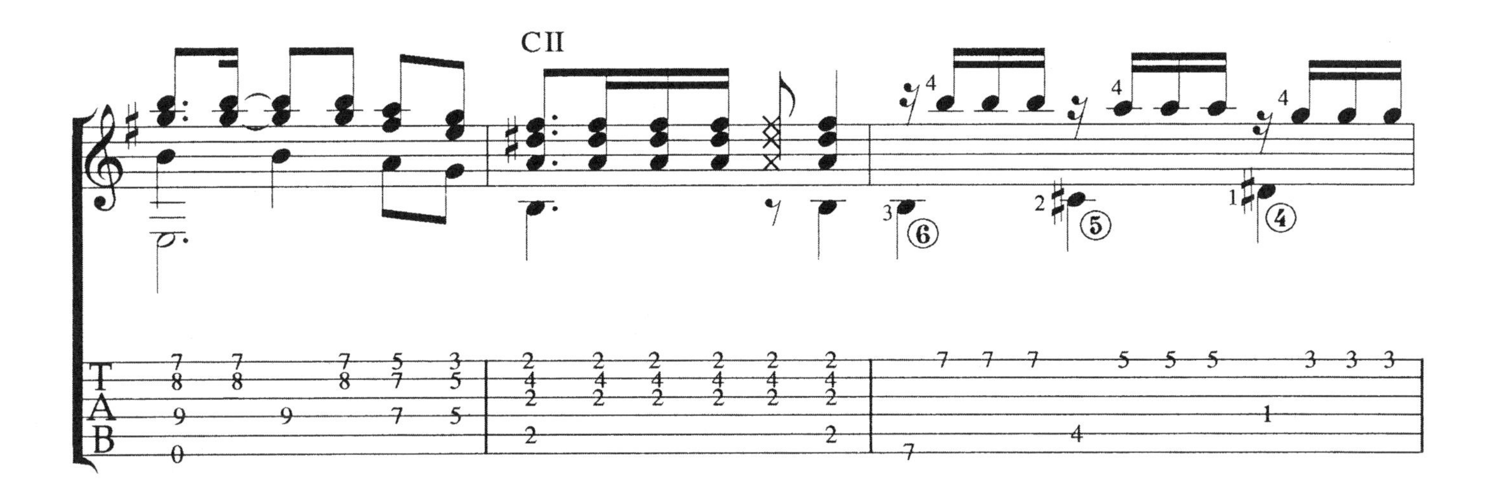
CII
TAB

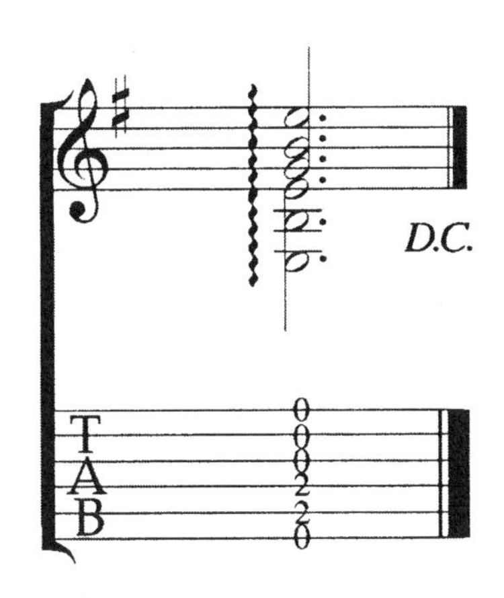
D.C.
TAB

コスタリカのギター

コスタリカにおいてギターは、歌の伴奏に中央アメリカ全体で広く愛好されているマリンバが使われています。ここでは、タンビト(tambito)とパシーロ(pasillo)という２つのリズム(どちらも民俗音楽で知られる地域、グアナカステのもの)に焦点を当てます。この地域の他の有名なリズムに、パランデラとボレロがあります。
タンビトのリズムは、以下のような巧妙な6/8拍子のシンコペーションです。

このタンビト・リズムの基本的な演奏方法は、以下のようになります

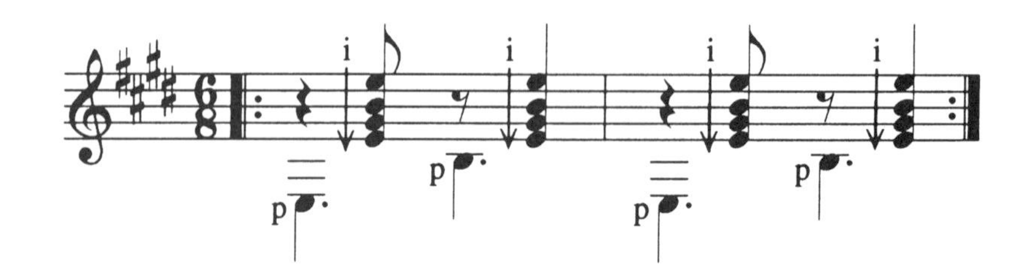

タンビト・リズムに基づいた短いエチュードを演奏してみましょう。

タンビトのためのエチュード

Estudio de Tambito

Track 11

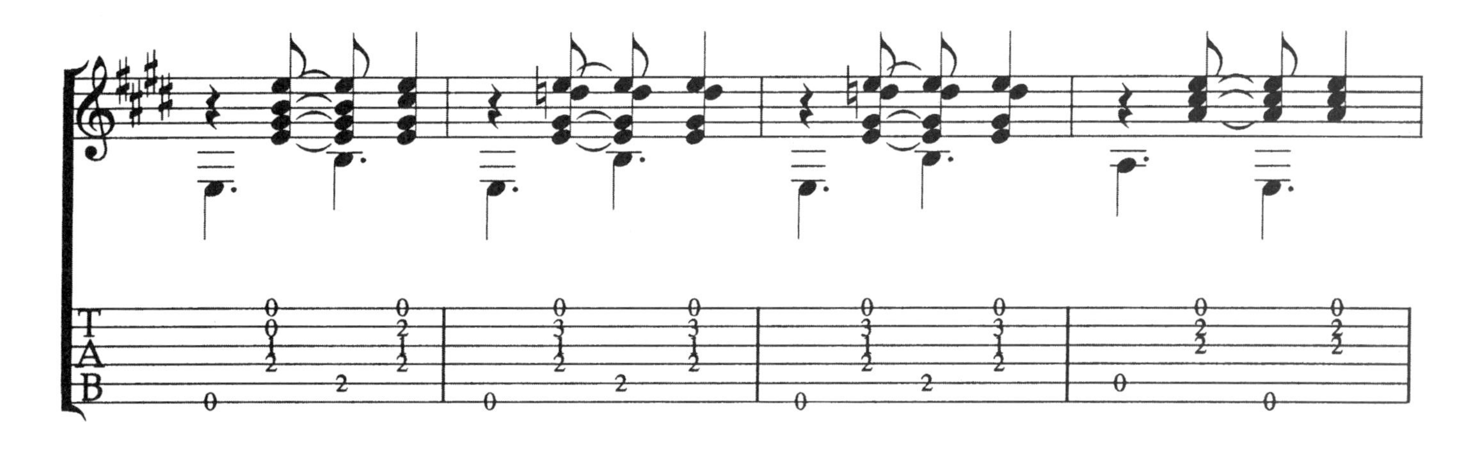

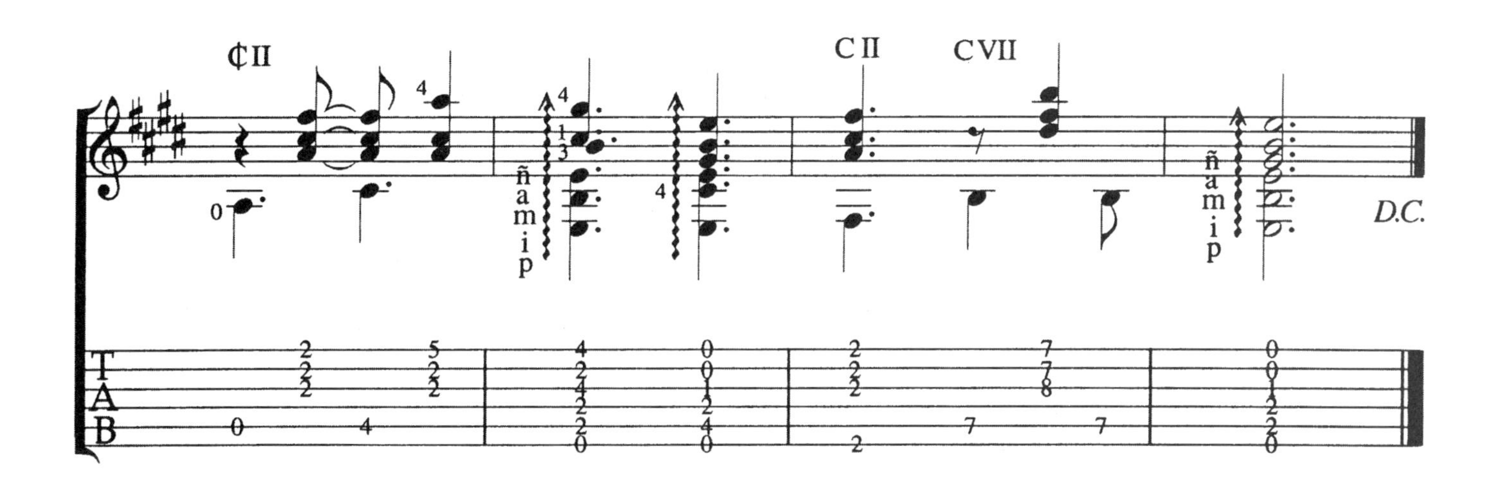

パシーロ（pasillo）のリズムは、コロンビアからコスタリカに伝わったものですが、多少変型されたリズムが使われます。コスタリカのパシーロの魅力は、ほとんど常に５度と４度の音程で動きながら、１拍めと、２、３拍めのアンド上を行き来するベース・ラインです。3/4拍子で表すと、パシーロは以下のようになります。

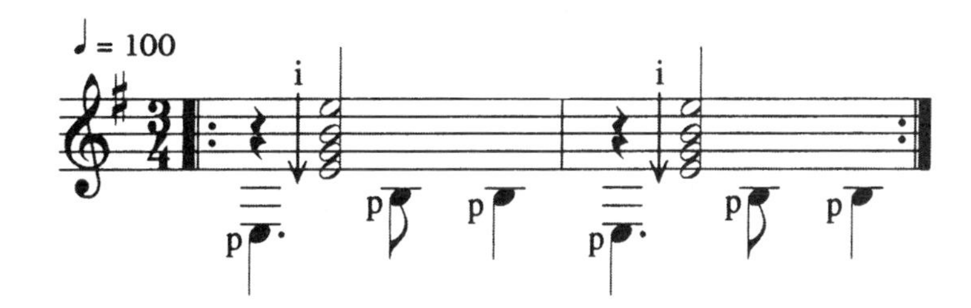

これのヴァリエーションも頻繁に使用されます。

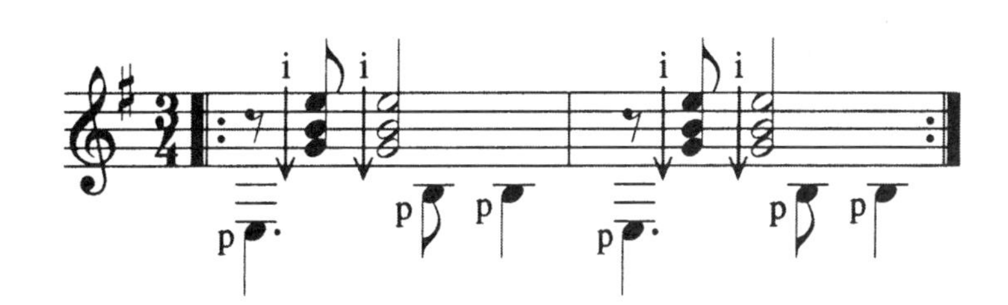

パランデラ(parrandera)のリズムは、メキシコのフアパンゴ(huapango)に関連しています。アクセントは１拍めに、手のひらのダンプによってつけられます.

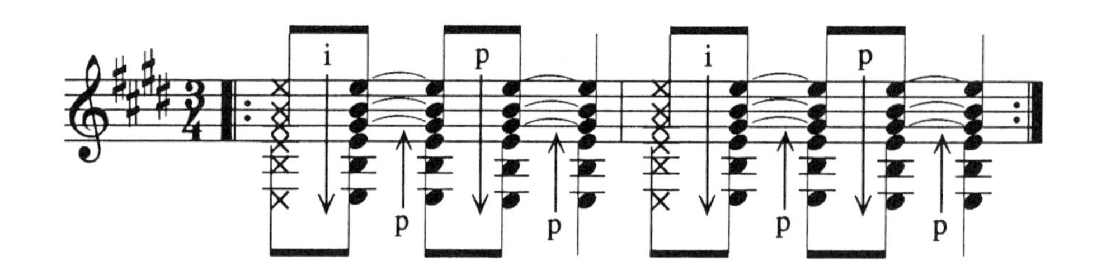

ボレロ(bolero)のリズムはカリビアンを起源とし、コスタリカで広く愛好されています：

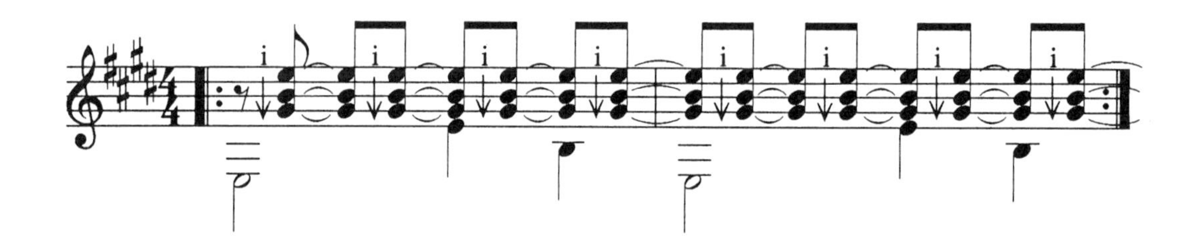

このリズムは、人差し指で柔らかくかき上げる代わりに、i-m-aで弾く場合もあります。

コスタリカのギターは、最近になってより洗練されたレベルに発展してきています。1980年代に、*Luíz Zumbado*、*Mario Solera*、*Pablo Ortíz*、*Ramonet Rodoriguez*といった、音楽学校で教育を受けた最初のギタリストたちが登場し始めました。この新しい世代の優れたギタリストとして、他にも*Mario Ulloa*と*Edín Solís*がいます。これらの音楽家たちの多くは、ヨーロッパで教育を受けた後、祖国に戻り、指導したり、演奏を行って、コスタリカにおけるギターの発展に大きく貢献してきました。

次ページは、パシーロのリズムを学ぶためのエチュードです。

Roberto Herreraに捧ぐ
パシーロ
Pasillo
Track 12
♩ = 104
CII
CV

CII
CVII
CVII
CII
CII
₵VII
₵V

CII
CI
rit.
D.C.
al. FINE
CIII CII
CVII
crescendo
mf
f
ff
allargando molto
p
lontano
pp
FINE

ベネズエラのギター

ベネズエラは、とても豊富なフォルクローレと音楽的な伝統をもっています。私は、ベネズエラの内陸部のほとんどを占める、ジャノスと呼ばれる奥地の平野で生まれたハープ音楽が好きです。この音楽では、ハープが、クアトロという小さい４弦ギターで伴奏されます。打楽器として小さなマラカスも加わります。これらが１つになると、２拍子(6/8)のメロディーに対して３拍子(3/4)のリズムをベース音が演奏する、流麗で推進力のあるリズムをもつ強力なコンビネーションを創り出します。

ベネズエラの音楽

ホロポ（Joropo）

ホロポは、上記の典型的なトリオによって演奏されます。ホロポは国民的な舞踏音楽であり、同じリズム的特徴をもつ９種類のハーモニーでできています。これがホロポの基本リズムの最小単位です。

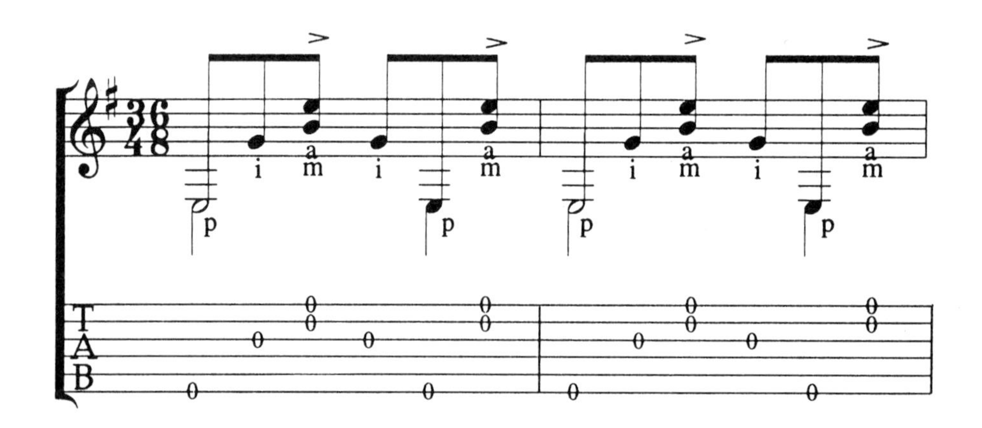

１拍めと３拍めに親指でベース弦を弾きながら、m-aで３つめと６つめの８分音符にアクセントをつけ、豊かなリズムの交錯を創り出します。ベネズエラのギタリストたちは、独自のフィンガーピッキング・スタイルを身につけています。それはp-i-am-iの後にp-maの連続したアルペジオで、本質的に非常にシンプルなものです。

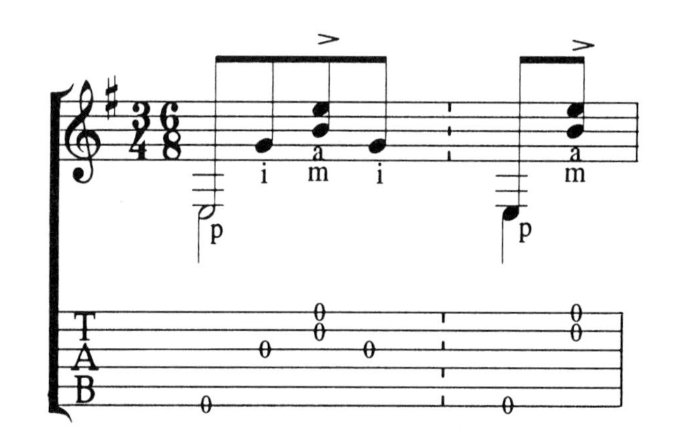

ホロポの巧妙なアルペジオは強いリズムを創り、親指でベース・パートを弾きながら、薬指と中指で自然にアクセントがつけられます。以下は頻繁に使用されるヴァリエーションです。

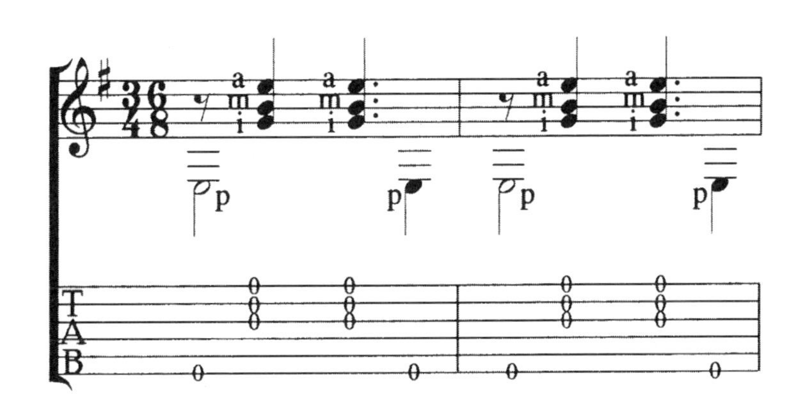

ここでは異なった位置、つまり１拍めと２拍めの後半にアクセントが置かれます。ベースのリズム（２分音符と４分音符）はそのまま維持されます。このパターンと基本リズムを組み合わせると、さらに対照と相互作用を生み出すことができます。以下は、これらのホロポのコンセプトを理解するための短いエクササイズです。

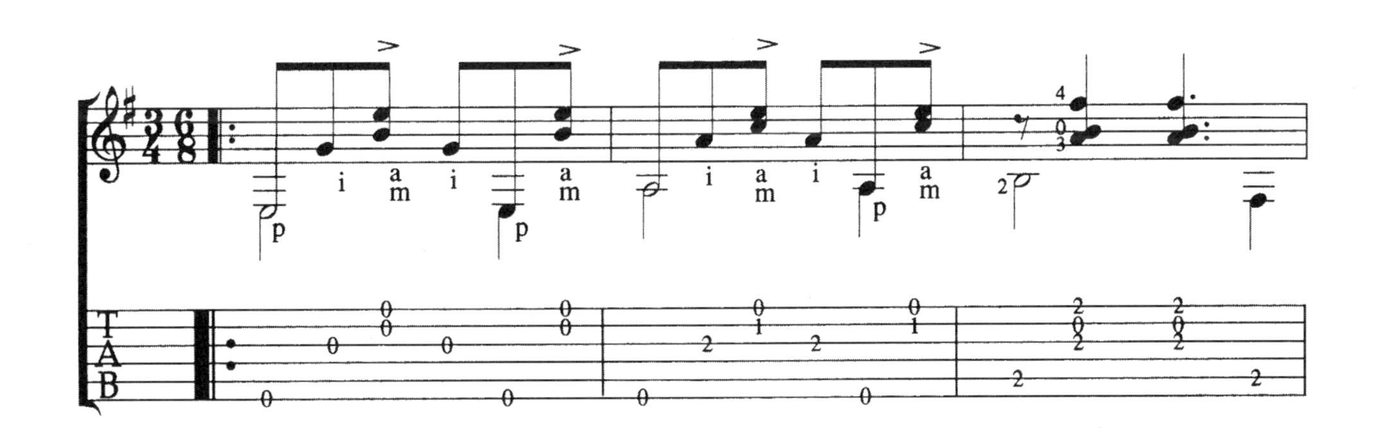

ホロポとは、ベネズエラの俗語でダンスを意味します。そしてホロポは、それぞれに名前がつけられた９種類のハーモニー形式、調性（メジャーまたはマイナー、または両方）、リズミック・フィール（２拍子または３拍子）、そして特定の慣用的コード進行を意味します。ベネズエラのホロポには、クイルパ（Quirpa）、スンバ・ケ・スンバ（Zumba que Zumba）、パハリロ（Pajorillo）、セイス・ポー・デレコ（Seis por Derecho）、セイス・ペリアオ（Seis Perriao）、セイス・ヌメラノ（Seis Numerao）、ガヴァン（Gavan）、カティラ（Catira）、そしてサン・ラファエル（San Rafael）という種類があります。

ベネズエラでは、ホロポをギターで伴奏することはそれほど一般的ではありません。このタイプの音楽のための特に優れた楽器は、前に説明したとおりダイアトニック・フォーク・ハープで、常にクアトロで伴奏されます。それでもなお、*Alirio Diaz*や*Antonio Lauro*などによってギター・ソロにアレンジされたホロポも存在しますので、これらを正しく解釈するためには、確実なテクニックとベネズエラ・リズムの正しいフィーリングが必要となります。

ベネズエラン・ワルツ（Venezuelan Waltz）

ベネズエラン・ワルツは、*Antonio Lauro*のワルツのおかげで、今日では大変広く知られるようになりました。ベネズエラでは、ウィーン・ワルツの１－２－３というアクセントが、１－２**アンド**－３に変化しています。このアクセントは、すべてのダンス・ステップの基本となるリズムの最小単位に見ることができます。

リズムを上記のように２拍めの**アンド**に感じることができれば、どのようにこみ入った曲であっても、ベネズエラン・ワルツを正しく演奏することができます。アクセントの位置がずらされているため、これは見た目よりも少し難しいでしょう。以下の曲は、ワルツにおけるこの異なるアクセントのつけ方を練習するためのものです。

ベネズエラン・ワルツのエチュード

Estudio de Vals Venezolano

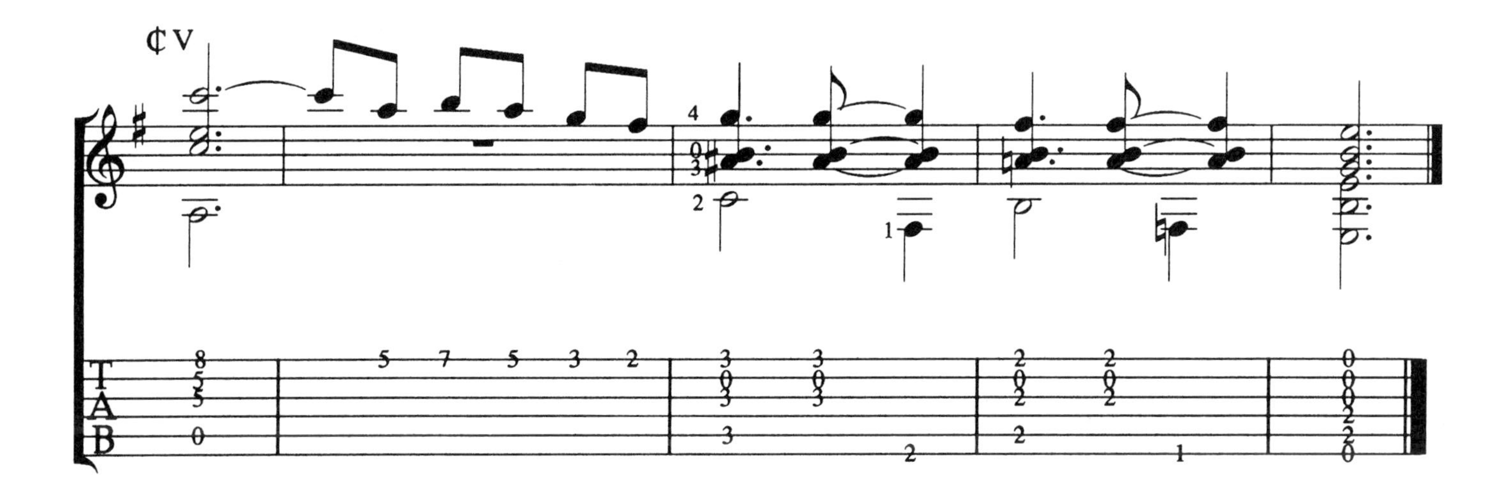

ベネズエラにおけるギターは、*Raul Borges*がカラカスで教えるようになった1920年代に成熟し始めました。彼の教えを受けた弟子たちの中には、*Antonio Lauro*、*Alirio Diaz*、*Rodrigo Riera*、*Manuel Enriquez*、*Perez Diaz*、*Flaminia de Sola*、*Froila de Pacanins*、*José Rafael Cisneros*、*Freddy Reyna*、*Antonio Ochoa*、*Rómulo Lazarde*等がいます。今日のギターは、*Luis Zea*、*Ruben Riera*、*Ricardo Iznaola*、*Luis Quintero*、そして*Alfonso Montes*といった新しい世代のギタリスト（および作曲家）たちのおかげで、ベネズエラ全体で非常に強い存在になっています。

次 ページのホロポに基づくエチュードは、ベネズエラのもっとも一般的な音楽形式に精通するために役立つものです。

Jonathan Colesに捧ぐ

ホロポ

Joropo

Track 14

CIII
CII

CVII
CIV

CII
CVII
CVII

CV
rallentando
f
molto
ff
CVII

Bibliography

Ayala, Hector : *Compendio de Rasgueos* Editorial Aromo, Bs. Aires

Boettner, Juan Max : *Música y Músicos del Paraguay,* Edición de Autores Paraguayos Asociados, Asunción

Cardoso, Jorge : *Ritmos y Formas Musicales : Argentina, Paraguay y Uruguay,* Universidad de Costa Rica (in preparation).

Dixon, Patricia : "Notes on Chilean and Andean Rasgueados", unpublished notes

Echecopar, Javier : *Música para Guitarra del Peru* Saywa Centro Peruano de Música, Lima

Echecopar, Javier : "Andean Rasgueados/Rhythms" unpublished notes

Ocampo, Maurico Cardozo : *Mundo Folklorico Paraguayo, Primera Parte,* Editorial Cuadenos Republicanos, Asuncion.

Prat, Domingo : *Diccionario de Guitarristas,* Casa Romero Fernandez, Buenos Aires

Vega, Carlos : *Danzas Folkloricas Argentinas*

ジャンル、経験を問わずすべてのギタリストのために
すばらしい模範演奏CDとタブ譜で楽しく演奏

定価［本体2,800円+税］

タブ譜付 クラシック・ギター **バリオス・マンゴレ名曲集**

Rico Stover 著《模範演奏CD付》

掲載曲

人形の夢 • メヌエット イ長調 • 小さなプレリュード • 古いガヴォット • ディノオラ • 前奏曲 ハ短調 • マヒーヘ • みつばち • グワラニ舞曲 • クリスマスの歌 • 祈り • フリア・フロリダ • ロマンス 第1番 • 悲しみのショーロ

定価［本体2,800円+税］

タブ譜付 クラシック・ギター **バッハ名曲集**

Ben Bolt 著《模範演奏CD付》

掲載曲

めざめよ！（カンタータ作品140より） • ガヴォット • プレリュード（チェロ組曲第３番より） • クーラント（チェロ組曲第３番より） • コレンテ（ヴァイオリン組曲第１番より） • ブレー（ヴァイオリン組曲第１番より） • ジーグ（チェロ組曲第１番より） • サラバンド（リュート組曲第２番より） • フーガ 他、全12曲

定価［本体2,800円+税］

タブ譜付 クラシック・ギター **モーツァルト名曲集**

Ben Bolt 著《模範演奏CD付》

掲載曲

ソナタ ハ長調 • アンダンテ • アダージョ • コンチェルト 第21番 • アイネ・クライネ・ナハト・ムジークより アレグロ K525、ロマンス、メヌエット、ロンド • 交響曲 第40番 アレグロ モルト • マーチ • メヌエットとトリオ • 主題と変奏 • ジュゼッペ・サルティのオペラ ミンゴーネのアリアによる７つの変奏曲 • メヌエット ヘ長調 • アレグレット • アンダンティーノ • メヌエット ト長調 • マーチ イ長調 • 歌劇「魔笛」より 変奏曲

定価［本体2,800円+税］

タブ譜付 クラシック・ギター **パガニーニ名曲集**

Ben Bolt 著《模範演奏CD付》

掲載曲

奇想曲（カプリッチョ） ホ長調 No.9 • 奇想曲（カプリッチョ） ホ長調 No.24 • アレグロ • アンダンディーノ • アンダンデ • アレグレット • ソナタ • ワルツ • ロンド • ロンドンチーノ 他、 全25曲

定価［本体3,000円+税］

タブ譜付 クラシック・ギター **タレガ名曲集**

Ben Bolt 著《模範演奏CD付》

掲載曲

プレリュード • ラグリマ • モラの踊り • マリエッタ • マズルカ • マリア • メヌエット • アデリータ • パヴァーヌ • 道化師 • アラブの奇想曲 • 蝶々 • ロジータ • アルハンブラの想い出 他、全29曲

定価［本体3,000円+税］

タブ譜付 クラシック・ギター **フェヴァリット名曲集**

Ben Bolt 著《模範演奏CD付》

掲載曲

あやつり人形の葬送行進曲／グノー • インヴェンション第13番、プレリュード第１番～平均律クラヴィーア曲集より／J. S. バッハ • 愛の夢／リスト • グリーンスリーヴス • 古城～ピアノ組曲「展覧会の絵」より／ムソルグスキー • 月の光～ベルガマスク組曲より／ドビュッシー • ラルゴ／ヴィヴァルディ • サルタレロ／ガリレオ • エリーゼのために／ベートーヴェン • トルコ行進曲／モーツァルト • 行進曲～舞踏組曲「くるみ割り人形」より／チャイコフスキー • カノン／パッフェルベル • 朝、アニトラの踊り～「ペール・ギュント」第１組曲より／グリーグ • カンツォネッタ／メンデルスゾーン • 亡き王女のためのパヴァーヌ、眠りの森の美女のパヴァーヌ／ラヴェル • ジムノペディ／サティ • プレリュード／ヴァイス • クロスロード・ブルース／ベン・ボルト 他、全29曲

タブ譜付 クラシック・ギター　ソル名曲集

Ben Bolt 著《模範演奏2CD付》

定価［本体4,200円+税］

掲載曲
A Minor March • D Minor Double-stop • E Minor Etude • Forward Roll Arpeggio Study • Allegro in D • Imitationse • Etude in Three Eight • Etude in Six Eight • Lullaby in Two Four • Allegro in C • Romance • Andante in A • Allegro Moderato • March of the Wooden Soldier • Allegretto • Moderato • Waltz of the Robins • The Happy Woodpecker • Harmony in G • Singing Violins • Easter Hymn • Jig in G • E Minor at Midnight • Changing Tides • When Guardsmen Sleep • The Precocious Pupil • Song in D Major • Song in D Minor • Victory Dance • Rhapsody in D • Double Trouble • Hermosa • Napoleon's Theme • Lament of the Giant • Valse • Easy Study in 3/8 • Funeral March • Simpatico en Sol • Chord March • Melody on an E String • El Maestro • There's a Charm • Best of Show • Diez • Elegant Desire • Basso Profundo　他、全59曲

タブ譜付 クラシック・ギター　カルカッシ名曲集

Ben Bolt 著《模範演奏CD付》

定価［本体3,300円+税］

掲載曲
プレリュード • ダンス • アレグレット • グラチオーソ • ワルツ • ロンド • アルペジオ • ギャロップ • アンダンティーノ • アンダンテ • モデラート • アレグロ • ロマンス • ロンディーノ • マーチ • ジグ　他、全64曲

タブ譜付 クラシック・ギター　ショパン名曲集

Richard Yates 著《模範演奏CD付》

定価［本体3,000円+税］

掲載曲
プレリュード 作品28, 第7番 • プレリュード 作品28 第20番 • プレリュード 作品28 第4番 • カンタービレ • マズルカ 作品6 第2番 • プレリュード 作品28 第15番「雨だれ」 • ノクターン 作品9 第2番 • ノクターン 作品15, 第3番 • ノクターン 作品37 第1番 • ノクターン 作品55 第1番

タブ譜付 クラシック・ギター　30ギター小曲集

John Griggs & Carlos Barbosa-Lima 著《模範演奏CD付》

定価［本体2,800円+税］

掲載曲
エア他／H. パーセル • ラルゴ／コレリ • アダージョ他／A. スカルラッティ • フゲッタ／パッフェルベル • ラルゲット／D. スカルラッティ • コン・モート／クープラン • 小さなプレリュード他／J. S. バッハ • アンダンティーノ／ヘンデル • メヌエット／W.A. モーツァルト • カプリッチョ／グリッグス&バルボサ・リマ　他、全30曲

ジャンル、経験を問わずすべてのギタリストのために
すばらしい模範演奏CDとタブ譜で楽しく演奏

定価［本体3,000円+税］

タブ譜付 アコースティック／クラシック・ギター　フォスター名曲集

Steven Zdenek Eckels 著・演奏《模範演奏CD付》

掲載曲
カイロへ行って • きびしい時代はもうやってこない • おお、スザンナ • 草競馬 • 柳の下で彼女は眠る～おお友よ私を連れて行って • 友よ私のために杯を満たさないで • ネリー・ブライ • 故郷の人々／スワニー河 • オールド・ブラック・ジョー • 恋人よ窓を開け • ドルシー・ジョーンズ • バンジョーをかき鳴らせ • 夢みる佳人 • 懐かしいケンタッキーの我が家

定価［本体3,000円+税］

タブ譜付 アコースティック／クラシック・ギター　アメリカン・ラヴ・ソング

Steven Zdenek Eckels 著・演奏《模範演奏CD付》

掲載曲
シンディ／スウィート・ライザ・ジェーン • いとしきネリー・グレイ • 谷をくだりゆけば • フェア・アンド・テンダー・レディ • 金髪のジェニー • ジョニーは戦場に行った • 西部の百合 • ペーパー・オヴ・ピン • 赤い河の谷間 • シェイディ・グローヴ

定価［本体3,000円+税］

タブ譜付 アコースティック／クラシック・ギター　ゴスペル・クラシック名曲集

Steven Zdenek Eckels 著・演奏《模範演奏CD付》

掲載曲
水に入りなさい • ピース・イン・ザ・バレー • 寂しい谷間で • 平和の流れる街 • ワンダフル・ピース • キープ・ユア・ハンド・オン・ザ・プラウ • ハイアー・グラウンド • わたしは哀れなさすらいの身 • ザ・チャーチ・イン・ザ・ワイルドウッド • ゼアズ・ア・リヴァー・オヴ・ライフ • やさしく静かに • 1羽の雀に

定価［本体3,000円+税］

タブ譜付 アコースティック／クラシック・ギター　アメリカン・フォーク・ソング

Steven Zdenek Eckels 著・演奏《模範演奏CD付》

掲載曲
ゲット・アロング・リトル・ドギーズ • テキサスの黄色いバラ • 峠の我が家 • カウボーイ・メドレー • ドネイ・ギャル • ヒルズ・オヴ・メキシコ • コロラド・トレイル • 赤い河の谷間 • リトル・ジョー・ザ・ラングラー • レイルロード・コラール • ストリート・ラレド • ナイト・ハーディング・ソング • トレイル・トゥ・メキシコ • オールド・ペイント・メドレー

定価［本体3,000円+税］

タブ譜付 アコースティック／クラシック・ギター　ブルース・クラシック名曲集

Steven Zdenek Eckels 著・演奏《模範演奏CD付》

掲載曲
フランキー・アンド・ジョニー • セント・ジェームス・インファーマリィ • スティーリン • ディープ・リバー・ブルース • リアル・スロウ・ドラッグ • 貨物列車のブルース • エンプティ・ベッド・ブルース • テイク・ユア・フィンガーズ・オフ・イット • ダーリン

定価［本体3,300円+税］

タブ譜付 アコースティック／クラシック・ギター
ヒスパニック・アメリカン・ギター名曲

Douglas Back 著・演奏《模範演奏CD付》

掲載曲
La Castanera • Violetta Schottische • La Suplica-Habanera (duet/duo) • Zamora-Borelo • A Media Noche (Ariles) • Polonaise • El Ole-Spanish Dance • A la Orilla del Ebro-Jota (Castanbide) • Manzanillo-Danza Mexicana • El Vito Sevillano (Hernan) • Arbor Villa Mazurka • Spanish Mazurka • Alexandrina • Lejos de ti • Peruvian Air • Un Sueno (duet/duo) • La Negrita-Danza • Isabel-Theme and Variations • Serenade • Rondino Cavatina • Spanish Cachucha • The Celebrated Spanish Retreat

タブ譜付 クラシック・ギター　楽しい舞曲集

James Edwards 著《模範演奏CD付》

定価［本体2,800円+税］

掲載曲

ハンガリア舞曲 第2番、第5番、第11番 • タンゴ • ホタ • ロシア舞曲 • 月の光 • 組曲 第11番 • キャロランの協奏曲　他、全10曲（CDのみ4曲追加）

タブ譜付 クラシック・ギター　ワルツ名曲集

James Edwards 著《模範演奏CD付》

定価［本体3,000円+税］

掲載曲

美しき青きドナウ • コッペリアのワルツ • センチメンタル・ワルツ • チター・ワルツ • ロシアン・ワルツ • スパニッシュ・ワルツ • ウィーンの6つのレントラー • グラン・ワルツ　他、全12曲

タブ譜付 クラシック・ギター　アリア名曲集

James Edwards 著《模範演奏CD付》

定価［本体3,000円+税］

掲載曲

ハバネラ • おお、わたしのお父さん • 恋の悩み知る君は • たえなる調和 • さらば 過ぎ去りし日々 • ムゼッタのワルツ • 愛の喜び • 舟歌 • ロマンス • アヴェ・マリア　他、全14曲

タブ譜付 クラシック・ギター　ラテン・アメリカン・ギター・ガイド

Rico Stover 著《模範演奏CD付》

本書は、アルゼンチン、ブラジル、パラグアイ、ペルー、コスタリカ、ベネズエラの音楽と、ギター演奏のためのテクニックを紹介しています。基本動作から発展的な練習まで、ラテン・アメリカの音楽をより正確に解釈するためのラスゲアド・テクニックについて詳細に解説しています。

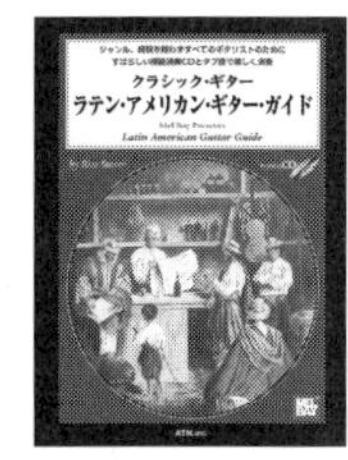

定価［本体3,000円+税］

掲載曲

アルゼンチン　Zambeando、Malambismos、Estudio De Carnavalito • ブラジル　Sambarado • パラグアイ　Polca Paraguaya • ペルー　Ejercicio De Huaino、Marinera • コスタリカ　Estudio De Tambito、Pasillo • ベネズエラ　Estudio De Vals Venezolano、Joropo

タブ譜付 クラシック・ギター　哀愁のラテン・アメリカン・メロディーの旅

Elias Barreiro 著《模範演奏CD付》

中南米14カ国の哀愁ただようメロディーをめぐり、ラテン・アメリカの旅気分を満喫しましょう。全31曲収録。

定価［本体3,500円+税］

掲載曲

ボリビア　En lo frondoso • ブラジル　Odeón、Coracão que sente、Tico-Tico no fuba • チリ　La Mercedes • コロンビア　Por un beso de tu boca • コスタリカ　Mariquita • キューバ　La tarde、La Bayamesa、Corazón、La tarde está amorosa、La Matilde、El mambí • ドミニカ共和国　El sueño • エクアドル　Mis flores negras、Yaraví antiguo、Bartola、Pasillo • グアテマラ　San Antonio Polopó、Ixim • メキシコ　La reina de las flores、La luz eléctrica、Yo se lo diré a usted、Vals No.1、Vals No.2、Vals No.3 • ペルー　Suspiros del Chanchamayo • プエルトリコ　Tu y yo、No me toques • ウルグアイ　El montonero • ベネズエラ　Contradanza

定価［本体3,500円+税］

クラシック・ギター　やさしいギター名曲集

近藤敏明・編曲

掲載曲

愛のロマンス • アデリータ • 雨だれ • アメリアの遺書 • アレグレット スケルツァンド • アレグロ ヴィヴァーチェ • アレマンデ • アンダンテ •「牛を見張れ」による変奏曲 • 憂いのガリアルダ • エンデチャ オレムス • カナリオス • ガボット/ジーグ • 組曲ニ短調 アレマンデ • 月光 • 前奏曲 • ソナタ • ソナチネ • タンゴ •「テルプシコーレ」より三つの舞曲 • 涙のパバーヌ • ノクターン-夜想曲 • パッサカリア • パバーナ • バルカローレ-舟唄 • バレー • ファンタジア • ファンタジア • 二つのメヌエット • マリア·ルイサ • マリーア • マリエータ • 無言歌-舟歌 • メヌエット • モデラート-室内の小品 • ラグリマ-涙 • ラリアネ祭 • リュートのための六つの小品 • ロマンス • ワルツ ファボリート コスト • 他、全60曲

定価［本体3,500円+税］

クラシック・ギター　演奏会名曲集

近藤敏明・編曲

掲載曲

アストゥリアス • アラールの華麗なる練習曲 • アラビア風狂想曲 • 入江のざわめき • カタルーニャ • カプリス 第24番 • グラナダ • グラン ホタ • ゴヤの美女 • コルドバ • 最後のトレモロ • 朱色の塔 • スペイン風セレナータ • スペイン舞曲 第5番 • スペイン舞曲 第10番 • セビリア • 大聖堂 • ハンガリア幻想曲 • マジョルカ • 森に夢見る • 全20曲

定価［本体3,500円+税］

クラシック・ギター名曲集

近藤敏明・編曲

掲載曲

アルハンブラの想い出 • タルレガ • アレグロ スピリット（ソナタ 第1番）• アンダンテ ラルゴ • グラン ソロ • サラバンデ • 序奏とロンド • 大序曲 • 第7幻想曲 • パッサカリア • バルカローレ（舟歌/フリアフロリダ）• 悲歌風幻想曲 • ファンタジー（幻想曲）• ヘンデルの主題による変奏曲 • マルボローの主題による変奏曲 • モーツァルトの魔笛の主題による変奏曲 • ラルゴ（幻想曲第2番より）• ロッシニアーナ 第1番 • ロマンス • ワルツ 第3番 • ワルツ 第4番 • 全21曲

定価［本体3,500円+税］

クラシック・ギター教本《CD付》

近藤敏明・編曲

整理され、今までの教本には見られない充実した内容。テクニック本意ではなく、あくまでも音楽を表現することを基本に書かれている。初級者から上級者まで対応。

単旋律 • 和音 • アルペジオ • 旋律と伴奏 • フレージング • 6/8拍子のとりかた • 付点音符 • バス·メロディ • 装飾音 • 消音 • ビブラート • ハーモニックス • トレモロ

28の練習曲は、ソルのセコビア選による20の練習曲を中心に、カルカッシの25の練習曲より秀曲を加えて、古典の練習曲集としても十分な内容。さらに、アグアド、ジュリアーニ、カルリ、コスト、ダマス、チェルニーなどの実のある作品を掲載。

定価［本体4,000円+税］

1001 クラシック・メロディー

既刊、**名曲クラシック・メモリー**の表紙デザインおよび版型を一新（菊倍版）しました。クラシックからジャズまで、教育現場からライヴ演奏まで、さまざまな場面で多くのミュージシャンが活用できます。

各曲にはコード·ネームがつけられているので、ジャズやビッグバンドでのアドリブやアレンジに活用できます。また、目次は作曲家別に編纂されているので、学校の資料やメロディーの研究など、いろいろな活用ができる必携のメロディー集です。

収録している作曲家

バッハ、ベートーヴェン、ビゼー、ブラームス、ショパン、ドビュッシー、ドボルザーク、ヘンデル、ハイドン、リスト、マーラー、メンデルスゾーン、モーツァルト、サラサーテ、シューベルト、シューマン、チャイコフスキー、ヴェルディ、ヴィヴァルディ、他多数掲載

クラシック・ギタリストのための

アンドリュー・ヨーク ジャズ・ギター　ハーモニー《模範演奏CD付》

Andrew York 著・演奏

本書は、クラシックのギタリストが、ジャズを演奏するために必要なハーモニック・スキルを、自信をもって、そして楽しむために学習することを目的としています。

本書で重点的に取り扱うのは、ジャズ・ハーモニーです。コード／メロディや、スケール、モードを使ったインプロヴィゼイションの効果的な学習のためには、その前にジャズ・ハーモニーをしっかりと理解することは不可欠です。

クラシックとジャズの世界には、いくつかの根本的な相違点があります。ジャズには、クラシック音楽とは異なる独特の記譜法があり、リズムも異なります。これらの相違について理解することは、ジャズを流麗かつ適確に演奏するため非常に重要です。

定価［本体3,300円＋税］

クラシック・ギタリストのための

アンドリュー・ヨーク ジャズ・ギター　コード／メロディ《模範演奏CD付》

Andrew York 著・演奏

本書は、**アンドリュー・ヨーク　ジャズ・ギター　ハーモニー**の続刊で、本書の内容をふまえつつ、クラシックおよびフィンガースタイル・ギタリストにもっともなじみ深いジャズ・スタイルであるコード・メロディについて解説しています。

本書で重点的に取り扱うのは、タイトルどおりコードとメロディです。より表現力豊かなインプロヴィゼイションのためには、ジャズ特有のハーモニーに加えてコードの構造とメロディのなりたちに習熟しておくことことは不可欠です。

ジャズ・ギター　ハーモニーをマスターしたあと、さらなるグレードアップをしたい方にお勧めの１冊です。

定価［本体3,300円＋税］

著者について

Andrew York は、ギターの世界でひときわ異彩を放つ存在で、演奏・作曲ともに類まれな才能をもつ。彼の作品は、*John Williams* や *Christopher Parkning*、そしてロス・アンジェルス・ギター・カルテットとしてのレコーディングで、多くのギタリストに知られている。

通信販売商品

以下の商品は、直輸入版（英語版）につき、通信販売のみのお取り扱いとなります。
詳細は、ホームページ **http://www.atn-inc.jp** または **FAX 03-3475-6983** にてお問い合わせください。

DVD
Andrew York - Contemporary Classic Guitar

Andrew York はギタリスト、作曲家として複数のジャンルにおける権威であり、それぞれの世界に精通している数少ない存在といえます。

GSP Records からリリースされたセカンド・アルバム Denouement は、1994年、Guitar Player magazine の読者投票で最高のクラシック・ギター・アルバムに選ばれています。*Segovia*、*Julian Bream*、*Los Romeros* など、多くの著名なギタリストが参加する Rhino Records のアルバム Legends of Guitar -- Classical には、彼自身の作曲および演奏による Sunburst が収録されています。

また、世界的に名高いロス・アンジェルス・ギター・カルテットのメンバーでもあり、カルテットのための作品も多く執筆しています。

本DVDでは、Sunburst / Jubilation を含む *York* のオリジナル７曲と、バッハの無伴奏チェロ組曲第３番について、*York* 自身が解説と演奏をしています。 世界トップ・レベルのクラシカル・ギタリストを視覚的にも楽しめる、すばらしい内容です。

収録曲目

Bagatelle, In Sorrow's Wake, King Lotvin, Marley's Ghost, Numen, Sunburst/Jubilation, Sunday Morning Overcast, Third Cello Suite In C Major (J.S.Bach)

課題別テクニックを習得する新しいアプローチ

クラシック・ギター練習曲集 〜初・中級編〜 《模範演奏CD付》

Scott Tennant 著

定価［本体3,000円+税］

本書で取り上げている作品は、さまざまなクラシック・ギターのテクニックを使った、やさしくて魅力的な曲ばかりです。そこには伝統的な要素だけでなく、刺激的な現代の作曲家のものも含まれています。

現在入手できるその他の練習曲集と異なり、具体的なテクニックを発展させるために作品を選んであります。それらは、あなたの練習の当面の課題に焦点を合わせる手助けになるよう書かれています。また、各曲には、技術的、音楽的、左右のフィンガリングや練習のヒントなどがチェック・リストにあげられています。

それぞれのレベルに合わせて、**タブ譜付 クラシック・ギター・テクニック**（ATN刊）と併用すると、さらに効果的です。

練習曲

Different Strokes *(Tennant/Gunod)*
２つのストローク
Walking *(Tennant/Gunod)*
ウォーキング
Opus 44, No.6 *(Fernando Sor)*
作品44 第６番
Bit O' Nostalgia *(Scott Tennant)*
ノスタルジックに
Balancing Act *(Scott Tennant)*
バランシング・アクト
Snowflight *(Andrew York)*
スノーフライト
Crispin's Spin *(Omid Zoufonoun)*
クリスピンズ・スピン
Estudio No.2 *(Francisco Tarrega)*
練習曲 第２番
Etude No.19 *(Matteo Carcassi)*
カルカッシ25の練習曲より 第19番
Op.35, No.18 *(Fernando Sor)*
作品35 第18番
Sore Study *(Sor/Tennant)*
ソルの作品より
Opus 60, No.18 *(Fernando Sor)*
作品60番 第18番
Opus 60, No.24 *(Fernando Sor)*
作品60番 第24番
Malagueña *(arr. Tennant)*
マラゲーニャ
Etude No.13 *(Matteo Carcassi)*
カルカッシ25の練習曲より 第13番
Etude No.7 *(Matteo Carcassi)*
カルカッシ25の練習曲より 第７番
Little Ländler *(Sköt Tennant)*
小さなレントラー
Etude No.2 *(Matteo Carcassi)*
カルカッシ25の練習曲より 第２番
Two Studies *(Francisco Tarrega)*
２つのスタディー
Etude No.6 *(Matteo Carcassi)*
カルカッシ25の練習曲より 第６番
Etude No.12 *(Matteo Carcassi)*
カルカッシ25の練習曲より 第12番
Opus 6, Studio 4 *(Fernando Sor)*
作品６ 練習曲４番
Opus 35, No.19 *(Fernando Sor)*
作品35 第19番
Studio de Campanelas su un Tema della "Folia" di M. de Fossa *(Francisco Tarrega)*
M. de FossaのFoliaを使ってのカンパネラの練習
Pavans *(Luis Milan)*
３つのパヴァーヌ
Opus 44, No.8 *(Fernando Sor)*
作品44 第８番
Exercise in 3rds and 6ths *(Mauro Giuliani)*
３度と６度の練習曲
Opus 35, No.5 *(Fernand Sor)*
作品35 第５番
Slur Study *(Mauro Giuliani)*
スラー・スタディー
Opus 31, Leçon XV *(Fernando Sor)*
作品31 練習曲15番
Opus 31, Leçon XII *(Fernando Sor)*
作品31 練習曲12番
A Pale View *(David Pritchard)*
ペイル・ヴュー

課題別テクニックを習得する新しいアプローチ

クラシック・ギター練習曲集 〜中・上級編〜 《模範演奏CD付》

Scott Tennant 著

定価［本体3,000円+税］

本書は、１巻めの初・中級編の続刊として、コンサートなどにも演奏できる曲で、初・中級編よりも難しい曲が収められています。それぞれの練習曲を正確に、そして適当な目的で練習することで、きっとあなたのスキル・アップ（技術の向上）に役立ちます。

練習曲

The Frog Galliard *(John Downland)*
フロッグ・ガリアード
Fantasia No.18 *(Luys Milan)*
ファンタジア 第18番
Fantasia No.16 *(Luys Milan)*
ファンタジア 第16番
Veintidós diferencias de Conde Claros *(Luis de Narváez)*
コンデ・クラロス
Variations sur les "Folies d'Espagne" *(Mauro Giuliani)*
フォリア・デ・エスパーニャ（スペイン舞曲）による変奏曲
Theme
テーマ
Variation I
ヴァリエーション I
Variation II
ヴァリエーション II
Variation III
ヴァリエーション III
Variation IV
ヴァリエーション IV
Variation V
ヴァリエーション V
Variation VI
ヴァリエーション VI
Étude No.11 *(Napoléon Coste)*
練習曲 第11番
Fantasia Original *(Jose Vinãs)*
ファンタジア
Rasgueado Exercise in Soleá *(Adam del Monte)*
ソレア（ラスゲアードの練習）
Alzapua and Thumb Study in Soleá *(Adam del Monte)*
ソレア（アルサプーアと親指の練習）
Inspired by Villa-Lobos
ヴィラミロボスのひらめき
Etude No.1 *(Joe Diorio)*
エチュード No.1
Study No.1 *(Carlos Rafael Rivera)*
練習曲 第１番
Plainte *(Brian Head)*
なげき
Concierto de Aranjuez – Cadenza *(Joaquín Rodrigo)*
アランフェス協奏曲ミカデンツァ
Opus 6, Studio 4 *(Fernando Sor)*
作品６ 練習曲４番

課題別テクニックを習得する新しいアプローチ
タブ譜付　クラシック・ギター・テクニック

Scott Tennant 著

本書は、クラシック・ギターを学ぶ多くの人たちが直面する、さまざまなテクニックに関する問題を解決するためのアイディアを提供してくれるユニークで画期的なアプローチの教則本です。本書のエクササイズは従来の教則本のように、単にテクニックをみがくためのものではなく、心地よく音楽的に演奏しながら学べるようにプログラムされています。マウロ・ジュリアーニの右手のための120の練習曲やフランシスコ・タレガのアルペジオ練習曲から、フラメンコ・テクニックまで、あなたの苦手なテクニックを集中して学んだり、見直すためにもとても役立ちます。

また、既刊の**クラシック・ギター練習曲集～初・中級編**、**クラシック・ギター練習曲集～中・上級編**と併用することで、それぞれのレベルやテクニックに合わせた有効な練習をすることができます。

定価［本体2,800円＋税］

本書の内容

- 左手のテクニック
- 右手のテクニック
- フラメンコ・ギターの奏法テクニック
- 毎日の練習とウォーム・アップ
- トレモロ
- スケール練習
- アルペジオ

通信販売商品

以下の商品は、直輸入版（英語版）につき、通信販売のみのお取り扱いとなります。
詳細は、ホームページ **http://www.atn-inc.jp** または **FAX 03-3475-6983** にてお問い合わせください。

Pumping Nylon -A Guide to Classical Guitar Technique-

タブ譜付　クラシック・ギター・テクニック（ATN刊）と同じ内容のタブ譜の付いていない教則本です。

VHS video

DVD

*Scott Tennant*のベスト・セラー教則本Pumping Nylonが映像となって登場しました。Pumping Nylonで扱われた、日課となるウォーミング・アップや、クラシック・ギタリストにとって重要な、爪の形状、手入れからトレモロ、アルペジオ等が収録されています。例題はすべて*Scott*自身による演奏で、２台のカメラにより右手のアップも映し出されています。すべてのクラシック・ギタリスト必見のVHS、DVDといえるでしょう。

収録時間：１時間57分

通信販売商品

以下の商品は、直輸入版（英語版）につき、通信販売のみのお取り扱いとなります。
詳細は、ホームページ **http://www.atn-inc.jp** または **FAX 03-3475-6983** にてお問い合わせください。

Guitar Collection of Roger Hudson [TAB譜/CD付] *by Roger Hudson*

Camille • Dreams Collage • The Fox & the Hounds • West 57th Strut • Blues from Jekyll • Trouble Blues • Lullaby for a Lady • Gardens Waltz • Dancing in a Sleepless Night • Secret Tango • Undersea Ballad • The Seven-legged Spider

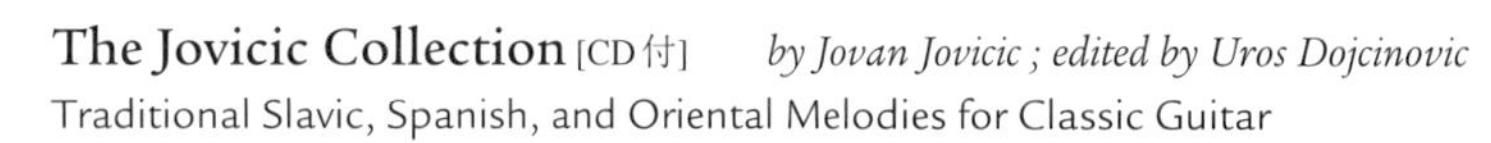

The Jovicic Collection [CD付] *by Jovan Jovicic ; edited by Uros Dojcinovic*

Traditional Slavic, Spanish, and Oriental Melodies for Classic Guitar

Original compositions for solo guitar:: Suite from Vojvodina (1942-1969) • Macedonian Rhapsody (1952) • Arabesque (1950) • Moorish Dance (1953-1954) • Suite No. 4 (1966) • Russian Suite (1968) • Suite on Folk Themes in G major (1969) • Suite from Serbia for Two Guitars (1992)

Johann Brahms Arranged for Guitar [TAB譜/CD付] *by Javier Calderón*

Waltz No.1~16 • Intermezzo (No.1, Op.117)

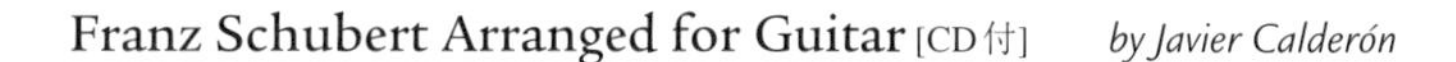

Franz Schubert Arranged for Guitar [CD付] *by Javier Calderón*

Ständchen (Serenade) • Ungarische Melodie • Moments Musicaux No.1~6

J. S. Bach Transcriptions for Classic Guitar [CD付] *by Javier Calderón*

Sonata BWV 1001 • Chaconne in D Minor BWV 1004 • Prelude in D Minor • Prelude – Fugue & Allegro BWV 998 • Suite for Lute BWV 996 • Prelude for Lute BWV 999 • Jesu, Joy of Man's Desiring

通信販売商品

以下の商品は、直輸入版（英語版）につき、通信販売のみのお取り扱いとなります。
詳細は、ホームページ **http://www.atn-inc.jp** または **FAX 03-3475-6983** にてお問い合わせください。

Solos for Guitar [CD付]   *by Frederic Hand*

A Celtic Tale • A Dance for John Dowland • A Waltz for Maurice • About Time • Desert Sketch • Elegy for a King • For Lenny • Heart's Song • Lesley's Song • Missing Her • Simple Gifts

Caprice – Guitar Solo Compositions [CD付]   *by Joseph Mayes*

Caprice Op. 11 • Overture • Caprice Op. 250 #1 • Die Lustigan Weiber von Windsor • Caprice Op. 250 #2 • Waltz Favorite Op. 46 • Caprice Op. 20 #13 • El Delirio • Caprice Op. 20 #15 • Deuxieme Polonaise • Caprice Op. 20 #33 • Meditacion • Caprice Op. 20 #3 • Les Soires d'Auteuil • Caprice Op. 20 #7

J. S. Bach in Tablature [TAB譜/CD付]   *arranged by Jake Pincus*

Bouree In E Minor • Gavotte From The 3rd Lute Suite • Jesu, Joy Of Man's Desiring • Minuet 1 In G Major • Minuet 2 In G Major • Minuet In G Minor • Musette In D Major • Prelude In D Minor • Two Part Invention In C Major • Two Part Invention In D Minor

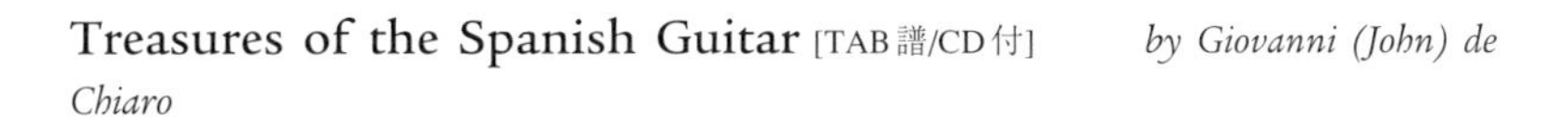

Treasures of the Spanish Guitar [TAB譜/CD付]   *by Giovanni (John) de Chiaro*

Canarios **Gaspar Sanz** • Capricho **J. De Anguera** • Capricho Arabe **Francisco Tarrega** • El Jaleo De Jeres [Arr. George Henry Derwort] • Espanoletas **Gaspar Sanz** • Fantasia **Luys De Narvaez** • Folias **Gaspar Sanz** • Marieta **Francisco Tarrega** • Rondo Brilliante Op 2 No 2 **Dionisio Aguado** • Rosita **Francisco Tarrega** • Spanish Fandango [Arr. Justin Holland]

Classical Masterpieces in Tablature [TAB譜]   *transcribed by Dennis Franco*

Study (from Opus 35 No. 22) **Fernando Sor** • Polymnia (from Libro di Intavolatura, 1584) **Vincenzo Galilei** • Spanish Baroque Suite (Rujero, Paradetas, Matachin, Zarabanda) **Gaspar Sanz** • Espanoletta (from Second Book of Spanish Tablature, 1675) **Gaspar Sanz** • Canarios (from First Book of Spanish Tablature, 1674) **Gaspar Sanz** • French Baroque Suite (Prelude, Allemande, Gavotte, Sarabande, Bouree, Gigue) **Robert de Visee** • Prelude (from BWV 998, 1740) **J. S. Bach** • Fugue (from BWV 998, 1740) **J. S. Bach** • Allegro (from BWV 998, 1740) **J. S. Bach** • Prelude (from Cello Suite No. 1 BWV 1007) **J. S. Bach** • Fantasie No. 7 (from Variety of Lute Lessons, 1610) John **Dowland** • Queen Elizabeth's Galliard (from Variety of Lute Lessons, 1610) **John Dowland**

通信販売商品

以下の商品は、直輸入版（英語版）につき、通信販売のみのお取り扱いとなります。
詳細は、ホームページ **http://www.atn-inc.jp** または **FAX 03-3475-6983** にてお問い合わせください。

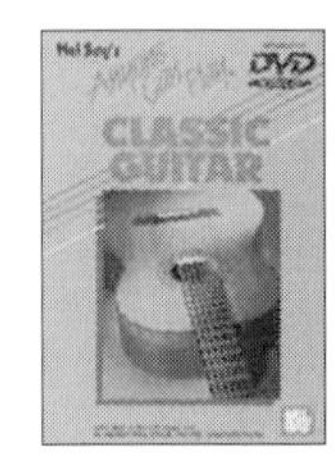

DVD版 Anyone Can Play Classic Guitar *by Ben Bolt*

クラシック·ギター／バッハ名曲集などの譜面集や演奏でもおなじみのBen Bolt による93年作のクラシック·ギターの入門ＤＶＤです。左右の手のポジション、座った姿勢、爪について、生徒からよくある質問に答える、などの項目に分かれており、教則本では難しい部分もきちんと理解できるでしょう。

DVD版 Classic Guitar Artistry *performed by Denis Azabagic*

1992年から2000年の間に、GFAソロ·ギター·コンペティションをはじめ、Tarrega、Printemps、Stotsenberg、Schadt、Guerreroなどの11の国際的なコンクールで第１位を獲得してきた、*Denis Azabagic*によるスタジオ·ライヴDVDです。*Luis De Narvaez*によってビウエラ用に書かれた曲や自身によるバッハの無伴奏フルート·パルティータのギター·アレンジ、そして、*Carlos Rafael Rivera*による現代曲など、幅広いレパートリーとその解説が収録されています。
また同じく*Denis Azabagic*によるDVDの**Developing Classical Guitar Technique**では本DVDに収録されている La Catedral（バリオス·マンゴレ）とVariations On A Theme By Mozart,Op9（フェルナンド·ソル）をより詳しく解説していますので、そちらも是非ご覧ください。

DVD版 Developing Classical Guitar Technique *by Denis Azabagic*

クラシック·ギタリストにとって人気のレパートリーであるLa Catedral(バリオス·マンゴレ）とVariations On A Theme By Mozart,Op9（フェルナンド·ソル）だけを取り上げ、詳しく解説するユニークな教則DVDです。まるで一流のギタリストから直接レッスンを受けているように感じることでしょう。
数々のの国際的なコンクールで第一位を獲得してきた*Denis Azabagic*による解説は、各曲の細部にわたり、フィンガリング、必要なテクニックと練習法、解釈など、非常に詳しく深い内容となっており、上級者向きといえます。
本DVDは曲の細部を取り上げた解説を主としていますので、全体の模範演奏は収録されていません。*Denis Azabagic*本人による模範演奏はClassic Guitar Artistryに収録されていますのでそちらをご覧ください。

On Competitions -Dealing with Performance Stress *by Denis Azabagic*

どんな演奏者も体験する本番前の「緊張感」。特にコンペティションではこの緊張感を拭い去ることが重要になります。本書は、リサイタル、試験、オーディション、そしてコンペティションなどで感じる神経の緊張をどのように解すか、に焦点をしぼったユニークな内容です。
この緊張感を消し去ることは困難ですが、本書を読むことで、本番前の準備、心構えなどで自分自身をだまし、過度の緊張を解し、ベストを尽くすことは可能です。
著者自らが30回以上のコンペティションに出場し、うち11回も優勝した経験から書かれた内容は、これからコンペティション出場を目指すギタリストにとって参考になるだけでなく、緊張感に悩むすべての演奏者にとって貴重な資料となるでしょう。

DVD版 Guitarra Clasica *by Carlos Perez*

Alirio Diaz（ヴェネズエラ1996年）、*Rene Bartoli*（フランス1997年）、*Printemps de La Guitare*（ベルギー1998年）、*Forum Gitarre*（オーストリア2000年）、*Fundacion Guerrero*（スペイン2000年）などの国際的コンペティションで第１位を獲得し注目を浴びるチリ人ギタリスト、*Carlos Perez*によるライヴDVDです。
ルネサッンスから現代曲まで確かなテクニックで演奏されています。幅広いレパートリーの参考となるでしょう。

DVD版 Ana Vidovic Guitar Virtuoso *by Ana Vidovic*

クロアチア出身の若きヴァチュオーゾ、*Ana Vidovic*（アナ·ヴィドヴィッチ）による小ホールでのライヴDVDです。
*Ana Vidovic*はこれまでに、イギリスのアルバート·アウグティーン国際コンクール、イタリアのフェルディナンド·ソル国際コンクール、スペインのフランシスコ·タレガ国際 コンクールなどで優勝し、すでに５枚のCDをリリースしています。
*Ana Vidovic*は兄の影響で５歳からギターを学び始め、ザグレブ音楽院には史上最年少(13歳）で入学し、イシュトヴァン·ロメル教授に師事しました。そして現在はボル ティモアのピーボディー音楽院でマヌエル·バルエコの指導のもと、才能により一層の磨きをかけています。
彼女のお気に入りであるバッハやパガニーニの演奏とともに、貴重なインタヴューも 是非お楽しみください。

通信販売商品

以下の商品は、直輸入版（英語版）につき、通信販売のみのお取り扱いとなります。
詳細は、ホームページ **http://www.atn-inc.jp** または **FAX 03-3475-6983** にてお問い合わせください。

The Complete Works of Agustin Barrios Mangore Vol.1

by Richard "Rico" Stover

[掲載曲目]
A mi Madre, Abri la Puerta mi China, Aconquija, Aire de Zamba, Aire Popular Paraguayo, Aire Sureno, Aires Andaluces, Aires Criollos, Aires Mudejares, Allegro Sinfonico, Altair, Arabescos, Armonias de America, Cancion de la Hilandera, Capricho Espanol, Choro da Saudade, Confesion, Contemplacion, Cordoba, Cueca, Danza, Danza Guarani, Danza Paraguaya, Diana Guarani, Dinora, Divagacion, Divagaciones Criollas, Don Perez Freire, El Sueno de la Munequita, Escala y Preludio, Estilo, 他

The Complete Works of Agustin Barrios Mangore Vol.2 [CD付]

by Richard "Rico" Stover

[掲載曲目]
Allegretto, Andantino, Ejercicio No. 12, Ejercicio No. 2, Estudio, Estudio No. 1, Leccion 40, Medallon Antiguo, Milonga, Minueto en Do, Minueto en La, Minueto en La (No. 2), Minueto en Mi, MInueto en Si Mayor, Oracion, Oracion por Todos, Pais de Abanico, Pepita, Pericon, Preludio (Op. 5, No. 1), Preludio en Do Mayor, Preludio en Do Menor, Preludio en La Menor, Preludio en Mi, Preludio en Mi Menor, Preludio en Re Menor, Romanza en Imitacion al Violoncello, Sargento Cabral, Sarita, Serenata Morisca, 他

Ricardo Iznaola - Concert Etudes [TAB譜/CD付] *by Ricardo Iznaola*

Homagesと題された10の練習曲と、音詩(tone poem) Death of Icarus をまとめた曲集。Homagesは上級者向けにテクニックの習熟を目的としたものであると同時に、各曲がアグアド、スクリャービン、バリオス･マンゴレ、タレガ、E. サインス･デ･ラ･マーサ、ヴィラ･ロボス、リスト、ラフマニノフ、リョベット、パガニーニに敬意を表しその特徴を踏襲したスタイル集。Death of Icarus (イカルスの死)はギタリスト、レギーノ･サインス･デ･ラ･マーサの想い出に捧げられたもので、著者による11番目の練習曲でもあります。難易度の高い曲が多く、レパートリーとしてチャレンジしてみたくなるおもしろさがあるでしょう。TAB譜付。

Tangos & Milongas for Solo Guitar [CD付] *by Jorge Morel*

アルゼンチン出身のギターの巨匠であり作曲家であるホルヘ･モレルの曲集です。本書には、3人の有名なラテン系の作曲家による作品、および著者による2つのソロ･ギターのためのオリジナル作品が収録されています。それぞれタンゴ、もしくはミロンガというダンス形式の曲をソロ･ギターのために編曲したものです。アルゼンチン･タンゴの名曲としてポピュラーな「エル･チョクロ」や、モレルのオリジナルでギターとストリングスのための「ラプソディック協奏曲」などが含まれ、5線譜とTAB譜の両方が独立した楽譜として記載されています。付属CDにはモレル自身が演奏した全曲が収録されています。

Johannes Brahms - Hangarian Dances for Solo Guitar *by Jozsef Eotvos*

ヨハネス･ブラームスのハンガリア舞曲(作品39番)は、元々はピアノのデュエットを想定して生まれたものですが、ブラームス自身によるオーケストラ･バージョンを含め、いろいろな器楽アンサンブルに編曲されています。

本書はハンガリーの傑出したギタリスト*Jozsef Eotvos*が、21の舞曲すべてをソロ･ギター用に編曲したものです。記譜は5線譜のみでフィンガリングの模範例が記されています。収録曲の多くはフレットボード上にうまく収まるように編曲されてはいます。上級のクラシック･ギタリストに推薦。

DVD版 Paulo Bellinati plays Antonio Carlos Jobim

*Paulo Bellinati*は、ブラジルの最も優れたコンテンポラリー･ギタリストの一人です。このDVDで彼は、ラテン･ジャズの最もよく知られた作曲家である*Antonio Carlos Jobim*の作品12曲を、クラシック･ギターのスタイルで編曲し演奏しています。最後の曲ではクリスティーナ･アズマの伴奏を加えデュオで演奏しています。

Gabriela •Estrada Branca • Bate-Boca Luiza •Chora Coracao •Antigua •Por Toda a Minha Vida Garoto (Choro) •Valsa do Porto das Caixas •A Felicidade •Surfboard •Amparo

日本語訳小冊子付 DVD／ロサンジェルス・ギター・クァルテット ライヴ！［輸入版］

収録時間 97分

定価［本体4,500円＋税］

結成25年を迎えた Los Angeles Guitar Quartet
(*LAGQ / Scott Tennant, Andrew York, William Kanengiser, John Dearman*)
世界的に有名なシェルダン・コンサート・ホールでのライヴ・コンサート

このDVDは、グラミー賞の受賞者の*Los Angeles Guitar Quartet* (LAGQ)が、2005年3月、ミズーリー州、セントルイスのシェルダン・コンサート・ホールでのライヴ・コンサートを収録したものです。演奏曲目は、メンバーのオリジナル曲、バッハ、リスト、チャイコフスキーなどのクラシックの名曲、フィンガースタイル・ギターの名手*Chet Atkins*、ジャズ・ギタリスト*Pat Methany*の作品をメンバーたちがギター・クァルテット用にアレンジした多彩な演目です。コンサートは2部構成で、DVDの最後にはメンバーによる座談会が収録されています。添付した小冊子は、メンバーによる曲目紹介と座談会の内容を日本語に訳したものです。

［演奏曲目］

1. Quiccan (*Andrew York*)
2. プレリュード、フーガ、アレグロ（バッハ）
   平均律クラヴィーア曲集より プレリュード
   小フーガ ト短調 (*Andrew York*編曲)
   ブランデンブルク協奏曲 第3番 アレグロ
   (*Scott Tennant*編曲)
3. 組曲「くるみ割り人形」より（チャイコフスキー、*Andrew York*編曲）
   小序曲
   行進曲
   こんぺい糖の踊り
   ロシアの踊り（トレパーク）
   アラビアの踊り
   中国の踊り
   あし笛の踊り
   花のワルツ
4. Gongan (*William Kanengiser*)
5. Djembe (*Andrew York*)
6. ストロームネスへのわかれ *Peter Maxwell Davies* (*Scott Tennant*編曲)
7. ティラーナの祭り/タランテラ *Inti-Illimani* (*Scott Tennant*編曲)
8. Icarus *Ralph Towner* (*William Kanengiser*編曲)
9. Letter from Home *Pat Metheny* (*M. Small*編曲)
10. Blue Echo / Country Gentleman *Chet Atkins* (*William Kanengiser*編曲)
11. ハンガリー狂詩曲 第2番（リスト） (*William Kanengiser*編曲)
12. B&B (*Andrew York*)
13. パッヘルベルのルーズなカノン（パッヘルベル、*LAGQ*編曲）

通信販売商品

以下の商品は、直輸入版（英語版）につき、通信販売のみのお取り扱いとなります。
詳細は、ホームページ http://www.atn-inc.jp または FAX 03-3475-6983 にてお問い合わせください。

DVD版 William Kanengiser - Classical Guitar & Beyond *by William Kanengiser*

ソロ·ギタリスト、教育者、そしてLAGQ（ロサンジェルス·ギター·カルテット）の中心メンバーとして、20年にわたり第一線で活躍してきた*William Kanengiser*によるスタジオ·ライヴDVDです。
収録曲は*Kanengiser*の音楽的好みを2つの側面から表現するよう、ソルやジュリアーニ等による古典曲とロドリーゴやBrian Head等による現代曲から選ばれています。各曲間には*Kanengiser*による解説、そしてスペシャル·フィーチャーとして、新曲の覚え方、練習時間についてなど、興味深い内容がインタビュー形式で収められています。
ファンだけでなく、幅広いレパートリーの参考となるライヴDVDでしょう。また最後に収録されている、GFA（Guitar Foundation of America）での*Kanengiser*によるコメディー·ショウ（セゴビアや*Pepe Romero*等のモノマネ）も必見！

ATN, inc.

クラシック・ギター
ラテン・アメリカン・ギター・ガイド

Latin American Guitar Guide

発行日 2004年12月20日（初版）
2007年11月20日（第1版2刷）
著者 Rico Stover
翻訳 石川 政実
監修 石井 貴之
レイアウト Studio River
発行・発売 株式会社 エー・ティー・エヌ
© 2004 by ATN,inc.
住所 〒161-0033
東京都新宿区下落合 3-12-21 目白エミネンス 102
TEL 03-6908-3692 / FAX 03-6908-3694
ホーム・ページ http://www.atn-inc.jp
4449-2

ISBN978-4-7549-4449-0